MW00775057

TÍTULOS DE INGLÉS MARÍA GARCÍA

- Inglés de una Vez
- Aprende Inglés Deprisa
- 1000 Palabras Clave
- Inglés Móvil
- 100 Clases para Dominar el Inglés
- El Desafío del Inglés
- Inglés SMS
- Ciudadanía Americana
- Pronunciación Fácil: Las 134 Reglas del inglés Americano
- Inglés Para Hacer Amigos
- Inglés para Redes Sociales
- Inglés en la Escuela
- Inglés para Pacientes
- Habla Sin Acento
- Inglés de Negocios
- Inglés para Viajar
- Inglés para el Auto
- Aprende Inglés con los Famosos

Accede al contenido adicional del curso en
www.MariaGarcia.us

Pronunciación fácil, de la Teacher de Inglés

Fotografías de cubierta: © Designed by Asierromero / Freepik.
© Dreamstime.com de todas las fotografías de interiores.

1ra. edición: Marzo de 2018. D.R. © 2018.
Derechos reservados de la presente edición en lengua castellana:
American Book Group

Queda rigurosamente prohibida, sin autorización escrita de los titulares del copyright, bajo las sanciones establecidas por las leyes, la reproducción total o parcial de esta obra por cualquier medio o procedimiento, comprendidos la reprografía, el tratamiento informático así como la distribución de ejemplares de la misma mediante alquiler o préstamo públicos.

ISBN: 978-168-165-658-8
Library of Congress Control Number: 2018932589

La editorial no se responsabiliza por los sitios Web (o su contenido) que no son propiedad de la misma.

Impreso en Estados Unidos

PRONUNCIACIÓN FÁCIL

Aprende las 134 reglas del Inglés Americano

Accede al contenido adicional del curso en **www.MariaGarcia.us**

Dame tu opinión sobre este libro y recibirás gratis

UN CURSO DE PRONUNCIACIÓN PARA TU TELÉFONO

Envia un whats app con tu nombre a:

+1 (305) 310-1222

Apúntate gratis en **www.mariagarcia.us**

O escríbeme con tu nombre y dirección a:

MARIA GARCÍA. LIBRO AMIGO.

P.O. BOX 45-4402

MIAMI, FL 33245-4402

¡GRACIAS POR APRENDER INGLÉS CON MIS LIBROS!

421.54
G216
Spanish

Introducción

¡Hola Amigos!

Qué bueno que hayas decidido mejorar tu pronunciación en inglés. Para ello, te he preparado esta guía de pronunciación, con los siguientes objetivos:

- Ofrecerte una herramienta práctica y de fácil comprensión para comenzar a familiarizarte con los sonidos y la pronunciación del inglés.
- Proporcionarte los conocimientos básicos necesarios sobre los diferentes sonidos del inglés, para que puedas mejorar tu pronunciación y entender mejor a los hablantes nativos.

La guía está escrita en un lenguaje claro y simple, y está acompañada por un audio compañero en Internet que contiene grabaciones hechas por hablantes nativos, el cual te ayudará a aprender a pronunciar las vocales y consonantes del inglés americano.

La guía consta de tres partes, con su correspondiente audio en la web del curso:

- En la primera parte, te explicamos brevemente algunas palabras que usaremos a lo largo de la guía. Te mostramos cuáles son los sonidos de las vocales y las consonantes del inglés americano y los sonidos similares con los que puedes relacionarlos en español. También incluimos una lista de símbolos que representan a los sonidos del inglés y que han sido elegidos para facilitarte la comprensión cuando los leas y para que puedas reproducirlos fácilmente.
- En la segunda parte podrás aprender a pronunciar los diferentes tipos de vocales y consonantes del inglés americano, siguiendo una explicación muy clara y escuchando ejemplos leídos por hablantes nativos.
- En la tercera parte, ¿Cómo haces para saber cuándo pronunciar cada sonido? ¡Leyendo esta guía! Te mostraremos una serie de reglas generales que te servirán de referencia para saber cómo pronunciar las palabras según la manera en que se escriben.

¡Bienvenido a mi curso "Pronunciación Fácil"!

Con cariño,

María García
La teacher de inglés
www.mariagarcia.us

Guía de pronunciación

del inglés americano para hablantes de español

Nuestros objetivos en esta guía de pronunciación son:

- Ofrecerle al hablante de español que está aprendiendo inglés una herramienta práctica y de fácil comprensión para comenzar a familiarizarse con los sonidos y la pronunciación del inglés.
- Proporcionarle los conocimientos básicos necesarios sobre los diferentes sonidos del inglés para que pueda mejorar su pronunciación y entender mejor a los hablantes nativos.

La guía está escrita en un lenguaje claro y simple y está acompañada por un audio que contiene grabaciones hechas por hablantes nativos y que te ayudará a aprender a pronunciar las vocales y consonantes del inglés americano.

La guía consta de tres partes:

Primera parte

Te explicamos brevemente algunas palabras que usaremos a lo largo de la guía.

Te mostramos cuáles son los sonidos de las vocales y las consonantes del inglés americano y los sonidos similares con los que puedes relacionarlos en español.

También incluimos una lista de símbolos que representan a los sonidos del inglés y que han sido elegidos para facilitarte la comprensión cuándo los leas y para que puedas reproducirlos fácilmente.

Segunda parte

Podrás aprender a pronunciar los diferentes tipos de vocales y consonantes del inglés americano siguiendo una explicación muy clara y escuchando ejemplos dichos por hablantes nativos.

Tercera parte

¿Cómo haces para saber cuándo pronunciar cada sonido? ¡Lee esta guía!

Te mostraremos una serie de reglas generales que te servirán de referencia para saber cómo pronunciar las palabras según la manera en que se escriben.

Fíjate en los símbolos que usaremos en la guía:

Los símbolos que usaremos en esta guía no son símbolos fonéticos, sino que han sido elegidos para que un hablante de español que recién se acerca al idioma inglés pueda entender fácilmente cómo se pronuncian las palabras leyéndolos.

• Las **comillas** ("") las usamos para indicar **letras**:

"a" "e" "p" "m" "i" "f"

• Los **corchetes** [ ] los usamos para indicar con qué sonido se pronuncia una vocal o consonante:

[a] [e:] [sh] [ch] [æ] [ei]

No debes confundir **"letra"** escrita con el **"sonido"** con el que se pronuncia.

• La **"a"** puede pronunciarse con todos estos **sonidos**:

[a:] [æ] [ei] [e] [o:]

• La **negrita** la usamos para indicar **sonidos** que se pronuncian **con más fuerza o sonoridad** que los que aparecen en letra común:
Ejemplo:

[e] **e**gg	[e] op**e**n	**[z]** **th**anks	[z] **z**ero
[d] **d**ay	[d] **th**ey	**[sh]** **J**ohn	[sh] **sh**ow

• Los **dos puntos (:)** representan un **sonido prolongado:**

a: **e:** e: i: o: u:

• Los **paréntesis ( )** los usamos para escribir la **pronunciación** de una palabra:

big: (b**i**g) sell : (s**e**l) sister: (síste:r) August. (**ó**:gest)

Veamos las definiciones de algunas palabras que usaremos en esta guía:

• **Vocales:** son las letras a, e, i, o u

• **Consonantes:** son las letras b, c, d, f, g, h, j, k, l, m, n, p, q, r, s, t, v,w, x, y, z

• **Sílaba:** está formada por la combinación de vocales y consonantes y se determina según la pronunciación de la palabra, no la forma en que está escrita, como en español.

name (néim) ► una sílaba   Wednesday (w**én**z . **d**ei) ► dos sílabas

vegetable (v**ésh**.te.bel) ► tres sílabas

• **Sílaba acentuada:** cuando una palabra tiene más de una sílaba, una de ellas suena con más fuerza que las otras: es la sílaba acentuada. Siempre hay una sílaba acentuada en una palabra. En inglés no existe el acento escrito (´) como en español. Aquí lo usaremos para marcar la sílaba acentuada en la pronunciación de la palabra:

(néim)   (w**én**z**d**ei)   (v**ésh**tesbel)

• **Diptongo:** es la combinación de dos vocales. En inglés existen los siguientes diptongos cuando pronuncias una palabra:

[au]   [ai]   [ei]   [ou]   [oi]

PRIMERA PARTE

Pronunciación de las vocales y consonantes

Pronunciación de las vocales y consonantes

Veamos primero los diferentes sonidos con qué se pronuncian las vocales en inglés.

Los símbolos de la izquierda representan los sonidos que estudiaremos. En aquellos casos en que existe un sonido similar en español, lo hemos incluido para que te sirva de referencia.

Sonido	Palabras en las que aparece el sonido	Sonido similar en español
[a]	cup-love	-
[a:]	are- job	casa-allá
[æ]	happy-bag	-
[e]	ten-head	el-ese
[e]	arrival- lesson	-
[e:]	first-work	-
[e:]	sister-doctor	-
[i:]	she-please	sí-mí
[i]	it-big	-
[o:]	all-August	-
[u:]	you –too	tú-una
[u]	look-could	-
[au]	how-out	auto-audaz
[ai]	I-five	hay- baile
[ei]	day- April	ley-seis
[ou]	oh-go	-
[oi]	boy-enjoy	hoy-soy

Veamos ahora los sonidos con que se pronuncian las consonantes:

Sonido	Palabras en la que aparece el sonido	Sonido similar en español
[b]	book-cab	también-ambos
[d]	December-end	día-dedo
[d]	this-brother	hada-mide
[f]	four-coffee	feliz-oferta
[g]	good-ago	ganar-pongo
[j]	hello-home	mujer-gente
[k]	car-like	casa-cosa
[l]	leg-family	libro-alto
[m]	my-more	miel-amar
[n]	no-fine	noche- Ana
[ng]	sing-living	tango-pongo
[p]	paper-soap	papel-pare

Sonido	Palabras en la que aparece el sonido	Sonido similar en español
[r]	**r**ight-ve**r**y	pe**r**o-pa**r**a
[s]	**s**ay-pen**c**il	**s**í-**c**ena
[t]	**t**en-frui**t**	**t**é-pa**t**o
[v]	**v**isit-ha**v**e	---
[w]	**w**e-**w**ant	h**u**ir-h**u**eso
[y]	**y**es-law**y**er	h**i**elo-va**y**a
[z]	**z**ero-ea**s**y	mi**s**mo-i**s**la
[z]	**th**ank-tee**th**	a**z**ar-**z**ona
[sh]	**sh**e-Engli**sh**	--------------
[sh]	**J**ohn-**J**uly	--------------
[*sh*]	u**s**ually -deci**s**ion	--------------
[ch]	**ch**ildren-mu**ch**	o**ch**o-**ch**ino

SEGUNDA PARTE

Cómo se pronuncian los sonidos de las vocales y los diptongos

Cómo se pronuncian los sonidos de las vocales y los diptongos

[a] como en **up** (**a**p):
Este sonido no existe en español. Es un sonido muy corto.

Ejemplos:

up	c**u**p	**o**nion	l**o**ve	w**a**s
us	b**u**t	**o**ther	s**o**me	wh**a**t
uncle	s**u**n	**o**f	M**o**nday	

[a:] como en **a**rm (a:rm):
Este sonido es similar a la "á" acentuada en español:

Ejemplos:

arm	M**a**rch	a l**o**t	w**a**nt
are	w**a**tch	j**o**b	d**a**rk
artist	l**a**rge	st**o**p	f**a**ther

[æ] como en h**a**ppy (jǽpi):
Este sonido no existe en español, es una mezcla de "a" y "e".

Ejemplos:

at	h**a**ve	s**a**d	gl**a**ss
and	b**a**g	s**a**ndwich	h**a**ppy
after	c**a**b	h**a**nd	g**a**s

[e] como en **e**gg (**e**g):
Este sonido es similar a la "e" en español.

Ejemplos:

egg	t**e**n	h**ea**d
elevator	p**e**n	r**ea**dy
else	l**e**g	br**ea**d
any	t**e**st	w**ea**ther

[e:] como en f**i**rst (f**e:**rst):
Este sonido no existe en español. Ocurre delante de "r", solamente en sílabas acentuadas.

Ejemplos:

early	f**i**rst	l**ea**rn
urgent	th**i**rty	Th**u**rsday
w**e**re	w**o**rse	g**i**rl
w**o**rk	t**u**rn	th**i**rd

[e:] como en aft**er** (æfte:r):
Este sonido no existe en español. Es similar al anterior, también ocurre delante de "r", pero solamente en sílabas no acentuadas.

Ejemplos:

Sat**ur**day	butt**er**	doct**or**
aft**er**noon	mirr**or**	sist**er**
s**ur**prise	fath**er**	broth**er**
butt**er**fly	moth**er**	pap**er**

[e] como en sod**a** (sóud**e**):
Este sonido no existe en español. Es el sonido que tiene cualquier vocal en inglés que no esté acentuada. Es un sonido muy rápido y corto.

Ejemplos:

ago	**a**rrival
away	phot**o**graph
along	less**o**n
s**u**ppose	cous**i**n

[i:] como en sh**e** (shi:):
Este sonido es similar a la "í" acentuada en español, pero es más prolongado.

Ejemplos:

eat	l**ea**ve	m**e**
easy	pl**ea**se	h**e**
evening	p**ie**ce	s**ee**
either	n**ie**ce	kn**ee**

[i] como en **i**t (it):
Este sonido no existe en español. Es un sonido rápido y corto.

Ejemplos:

is	g**i**ve	gu**i**tar
it	s**i**ck	bu**i**lding
into	m**i**nute	s**y**rup
inch	b**i**g	g**y**m

[o:] como en b**a**ll (bo:l):
Este sonido no existe en español. Es parecido a la "o" pero es más prolongado.

Ejemplos:

off	st**o**re	l**aw**
or	f**a**ll	r**aw**
all	**Au**gust	
always	b**ough**t	

[u:] como en y**ou** (yu:):
Este sonido es similar a la "ú" acentuada en español, pero es más prolongado.

Ejemplos:

y**ou**	d**o**	aven**ue**
t**oo**	wh**o**	bl**ue**
r**oo**m	sh**oe**	c**oo**l
J**u**ne	n**ew**	st**u**dents

[u] como en c**oo**k (kuk):
Este sonido no existe en español. Es un sonido rápido y corto.

Ejemplos:

c**oo**k	f**oo**t	s**u**gar
g**oo**d	c**ou**ld	w**oo**d
b**oo**k	w**ou**ld	p**u**t
l**oo**k	sh**ou**ld	w**o**man

[au] como en house (jáus):
Este diptongo se pronuncia como "au" en español:

Ejemplos:

hour	eyebrow	cloud
out	how	thousand
ounce	brown	house
now	down	mouse

[ai] como en **I** (ái):
Este diptongo se pronuncia igual que "ai" en español:

Ejemplos:

eye	nine	high
ice	nice	night
by	five	why
cry	flight	type

[ei] como en day (déi):
Este diptongo se pronuncia igual que "ei" en español.

Ejemplos:

April	table	May
eight	hate	play
paper	gray	away
rain	they	weight

[ou] como en no (nóu):
Este diptongo se pronuncia como "ou" en español.

Ejemplos:

old	both	hello
only	clothes	show
over	go	snow
open	ago	shoulder

[oi] como en boy (bói):
Este diptongo se pronuncia igual que "oi" y "oy" en español.

Ejemplos:

oil	noise
coin	point
boy	voice
enjoy	Illinois

[b] como en **b**ank (bænk):
Se pronuncia de manera similar a la "b" después de "m" en español, como en la palabra ta**mb**ién:

Ejemplos:

bank	ta**b**le	ca**b**
bicycle	lo**bb**y	Bo**b**

[v] como en **v**ery (v**é**ri):
Este sonido no tiene un equivalente exacto en español:

Ejemplos:

very	**v**isit	o**v**er
se**v**en	mo**v**ie	lo**v**e
ha**v**e	dri**v**e	li**v**e

[d] como en **d**octor (**d**á:kte:r):
Se pronuncia de manera similar a la "d" en español cuando está al comienzo de una palabra como en **d**ía, o después de "n"o "l" como en an**d**ar o fal**d**a:

Ejemplos:

day	**d**octor	**D**ecember
to**d**ay	Mon**d**ay	un**d**er
col**d**	ha**d**	en**d**

[d] como en **th**ey (déi):
Este sonido no tiene un equivalente exacto en español. Es similar al sonido de "d" en el medio de algunas palabras, por ejemplo: ca**d**a ni**d**o

Ejemplos:

they	**th**is	**th**at
mo**th**er	fa**th**er	bro**th**er
o**th**er	ba**th**e	clo**th**es

[f] como en **f**ather (fá:de:r):
Se pronuncia igual que la "f" en español:

Ejemplos:

father	**f**our	**f**ive
co**ff**ee	a**f**ter	tele**ph**one
ne**ph**ew	cou**gh**	photogra**ph**

[g] como en **go** (góu):
Es similar al sonido de la "g" en español, como en las palabras: **g**anar- tan**g**o.

Ejemplos:

go	**g**ood	**g**reat
bi**gg**er	a**g**o	be**g**in
bi**g**	ba**g**	le**g**

[j] como en **he** (ji:):
Usamos este sonido aquí para representar al sonido [h] del inglés, ya que en español la "h" es muda y no sería útil para ayudarnos a pronunciar las palabras del inglés. De todas maneras, el sonido en inglés es mucho más suave que el de la "j" en español, similar a la pronunciación de la "g"en **g**ente o la "j"en **j**ugo:

Ejemplos:

he	**h**ello	**h**i
home	**h**and	a**h**ead
be**h**ind	O**h**io	Okla**h**oma

[k] como en **c**ar (ka:r):
Es similar al de la "c" en **c**asa o "k" en **k**ilo:

Ejemplos:

car	**c**ome	**C**alifornia
kitchen	**k**ilometer	s**q**uare
li**k**e	wor**k**	spea**k**

[ks] representa la pronunciación de "x":

Ejemplos:

si**x**	bo**x**	e**x**it	Te**x**as

[l] como en **l**eg (**l**eg):
Cuando el sonido aparece al principio o en el medio de una palabra, es similar al sonido de la "l" en español:

Ejemplos:

leg	**l**ike	**l**ove
he**ll**o	**l**ive	fami**l**y
lunch	**l**ettuce	sa**l**ad

[m] como en **m**e (mi:):
Este sonido se pronuncia igual que en español:

Ejemplos:

Monday	**m**y	A**m**erica
me	su**mm**er	so**m**e
mother	le**m**on	ti**m**e

[n] como en **n**o (nóu):
Este sonido se pronuncia igual que en español.

Ejemplos:

no	**n**i**n**e	**n**ight
a**n**y	mo**n**ey	te**nn**is
k**n**ow	fi**n**e	i**n**

[p] como en **p**en (**p**en):
Este sonido es similar al sonido de "p" en español:

Ejemplos:

pen	**p**ay	**p**ain
pa**p**er	air**p**ort	ha**pp**y
sto**p**	soa**p**	li**p**

[r] como en **r**ed (**r**ed):
Este sonido es diferente del sonido de "r" en español. Es un sonido mucho más suave, similar a la "r" de pe**r**o y pa**r**a.

Ejemplos:

red	**r**ight	**r**ain
w**r**ite	so**rr**y	ve**r**y
a**r**e	fa**r**	thei**r**

[ng] como en lo**ng** (la:ng):
Este sonido se pronuncia igual que en español.

Ejemplos:

fi**ng**er	si**ng**le	lo**ng**er
interesti**ng**	bori**ng**	lo**ng**

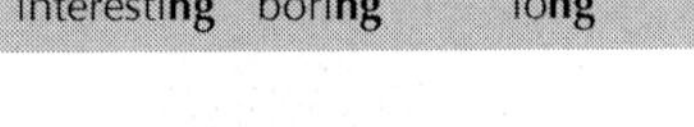

[s] como en **s**ay (séi):
Es igual al sonido de la "s" en español.
No debes pronunciar una "e" delante de la "s" cuando la palabra en inglés comienza con "s"+ consonante. Por ejemplo:

slow se pronuncia **s**lou no eslow   school se pronuncia **s**ku:l no esku:l

Ejemplos:

study	**s**low	**s**chool
fa**s**t	le**ss**on	pen**c**il
bu**s**	ye**s**	fa**c**e

[t] como en **t**able (téibel):
Es similar al sonido de la "t" en español:

Ejemplos:

table	**t**en	**t**ime
win**t**er	af**t**er	sis**t**er
frui**t**	bu**t**	i**t**

Cuando la "t" está entre dos vocales y sigue a una sílaba acentuada, se pronuncia muy similar a la "r" de a**r**o y ce**r**o en español. Es un sonido muy rápido y suave:

Ejemplos:

Water (wá:rer:)	bu**tt**er (b**á**re:r)	ci**t**y (síri)

[w] como en **w**e (wi:):
Es similar al sonido de la letra "u" en las palabras h**u**ésped y s**u**elo.

Ejemplos:

we	**w**ant	**W**ednesday
a**w**ay	al**w**ays	bet**w**een
work	**w**hat	**w**et

[y] como en **y**ou (yu:):
Este sonido es similar al sonido de la "y"en va**y**a o la "ll" en a**ll**á en varios dialectos del español:

Ejemplos:

yes	**y**ou	**y**esterday
on**i**on	law**y**er	m**u**sic
year	**u**nited	**u**niversity

[z] como en **z**ero (zírou):
Este sonido no tiene un equivalente exacto en español. Es un sonido vibrante, similar al sonido de las abejas (bzzzzzzzz).

Ejemplos:

zero	**z**oo	plea**s**e
ea**s**y	do**z**en	bu**s**y
i**s**	wa**s**	hi**s**

[z] como en **th**ank (**z**ænk):
Se pronuncia de manera similar a la letra "z" en muchos dialectos del español:

Ejemplos:

thank	**Th**ursday	**th**in
bir**th**day	no**th**ing	some**th**ing
mou**th**	mon**th**	tee**th**

[sh], **[sh]** y [*sh*]
Se trata de tres sonidos diferentes entre sí:

[sh] como en **sh**e (shi:):
Este sonido no existe en español, pero puede lograrse pronunciando "Shhh" cuando queremos que alguien se calle o haga silencio:

Ejemplos:

she	di**sh**	Engli**sh**	ca**sh**
na**ti**on	**sh**oe	**sh**ort	**s**ugar
wa**sh**	ma**ch**ine	so**c**ial	spe**c**ial

[**sh**] como en **J**uly (**sh**ulái):
Existe en algunos dialectos del español, por ejemplo en las palabras que comienzan con "**y**" como "**y**o"o "**ll**" como "**ll**amo".

Ejemplos:

John	**j**ob	**J**anuary
gym	en**j**oy	dan**g**erous
a**ge**	villa**ge**	su**gg**est

[*sh*] como en televi**si**on (**té**levi*sh*en):
Este sonido existe en algunos dialectos del español, por ejemplo en las palabras que comienzan con "y" como "yo" o "ll" como "llamo".

Ejemplos:

u**su**ally	vi**si**on	televi**si**on
deci**si**on	plea**su**re	ca**su**al
rou**ge**	bei**ge**	occa**si**on

[ch] como en **ch**ild (cháild):
Es similar al de las letras "ch" en español.

Ejemplos:

chair	**ch**ildren	**ch**eerful
pic**tu**re	kit**ch**en	Mar**ch**
mu**ch**	wat**ch**	sandwi**ch**

TERCERA PARTE

134 reglas generales de pronunciación según cómo se escriben las palabras

Veamos ahora 134 reglas generales de pronunciación según cómo se escriben las palabras. La relación entre la ortografía (spelling) y la manera de pronunciar las palabras en inglés resulta complicada para un hablante de español, así que trataremos de que puedas contar con algunas reglas generales para empezar a comprender y pronunciar mejor.

Las vocales y los diptongos

Palabras escritas con "a" :

• Regla N° 1:
"a" seguida de "r" en una sílaba acentuada, se pronuncia [a:]

Ejemplos:

arm (a:rm)
c**ar** (ka:r)
are (a:r)

• Regla N° 2:
"a" en una sílaba que termina en "e" silenciosa, se pronuncia [ei]

Ejemplos:

t**a**bl**e** (téibel)
h**a**t**e** (jéit)
s**a**m**e** (séim)

• Regla N° 3:
"a" seguida de "y" o "i" se pronuncia [ei]:

Ejemplos:

d**ay** (déi)	r**ai**n (réin)
pl**ay** (pléi)	w**ai**t (wéit)
gr**ay** (gréi)	p**ai**nt (péint)

• Regla N° 4:
"a" seguida de otras consonantes en sílabas acentuadas, se pronuncia [æ]

Ejemplos:

at (æt)	h**a**ve (jæv)
am (æm)	h**a**nd (jænd)
after (æfte:r)	h**a**ppy (jæpi)

• Regla N° 5:
"a" en las palabras "any" y "many" se pronuncia [**e**]

Ejemplos:

any (**é**ni)
m**a**ny (m**é**ni)

• Regla N° 6:
"a" en una sílaba no acentuada, se pronuncia [e]

Ejemplos:

ago (egóu)	**a**rrival (erráivel)
away (ewéi)	sign**a**l (sígnel)
along (elá:ng)	sod**a** (sóude)

• Regla N° 7:
"a" en una sílaba no acentuada antes de "r" se pronuncia [e:]

Ejemplos:

doll**ar** (**d**a:le:r)
sug**ar** (shúge:r)
coll**ar** (ká:le:r)

• Regla N° 8:
"a" seguida de "ld", "lk", "ll"y "lt" se pronuncia [o:]

Ejemplos:

fa**ll** (fo:l)
wal**k** (wo:k)
sal**t** (so:lt)

• Regla N° 9:
"ai" se pronuncia generalmente [ei]

Ejemplos:

Sp**ai**n (spéin)
p**ai**n (péin)
r**ai**n (réin)

• Regla N° 10:
"ai" en estas palabras se pronuncia [**e**]

Ejemplos:

ag**ai**n (eg**é**n)
s**ai**d (s**ed**)

•REGLA N° 11:
"a" en "**a**to" y "**a**tor" generalmente se pronuncia [ei]

Ejemplos:

pot**a**to (pet**é**irou)
tom**a**to (tem**é**irou)
elev**a**tor (**é**leveire:r)
refriger**a**tor (rifrí**sh**e:reire:r)

•REGLA N° 12:
"au" generalmente se pronuncia [o:]

Ejemplos:

August (ó:gest)
automatic (o:temǽrik)
bec**au**se (bi:kó:z)
t**au**ght (to:t)

•REGLA N° 13:
"au" en esta palabra se pronuncia [æ]

Ejemplos:

l**au**gh (læf)
l**au**ghter (lǽfte:r)

•REGLA N° 14:
"a" seguida de "w" se pronuncia [o:]

Ejemplos:

awful (o:fel)
l**aw**n (lo:n)
j**aw** (**sh**o:)

Palabras escritas con "e"

•REGLA N° 15:
"e" en una sílaba acentuada delante de una consonante, se pronuncia [**e**]

Ejemplos:

egg (**e**g)
end (**e**nd)
t**e**n (t**e**n)
p**e**n (p**e**n)
w**e**ll (w**e**l)
s**e**ll (s**e**l)
th**e**y (d**é**i)

• Regla N° 16:
"e" en una sílaba no acentuada, se pronuncia [e]

Ejemplos:

op**e**n (óupen)
jack**e**t (**sh**ǽket)
ov**e**n (**á**ven)

• Regla N° 17:
"e" seguida de "r" en una sílaba acentuada, se pronuncia [**e:**]

Ejemplos:

pref**er** (prif**é:**r)
G**er**man (**shé:**rmen)
w**er**e (w**e:**r)
s**er**ve (s**e:**rv)

• Regla N° 18:
"e" seguida de "r" al final de una palabra o en una sílaba no acentuada, se pronuncia [e:]

Ejemplos:

sist**er** (síste:r)
broth**er** (br**á**de:r)
moth**er** (m**á**de:r)

• Regla N° 19:
"e" al final de las palabras es generalmente silenciosa

Ejemplos:

tim**e** (táim)
stat**e** (stéit)
leav**e** (li:v)
arriv**e** (eráiv)
mor**e** (mo:r)

• Regla N° 20:
"e" no es silenciosa al final de estas palabras de una sola sílaba, en la que se pronuncia [i:]

Ejemplos:

m**e** (mi:)
h**e** (ji:)
sh**e** (shi:)
w**e** (wi:)

• **REGLA N° 21:**
"ea" se pronuncia generalmente [i:]

Ejemplos:

cl**ea**n (kli:n)
eat (i:t)
rep**ea**t (ripí:t)
pl**ea**se (pli:z)
d**ea**ler (**dí**:le:r)

• **REGLA N° 22:**
"ea" antes de "d" se pronuncia [**e**]

Ejemplos:

r**ea**dy (**rédi**)
ah**ea**d (ej**éd**)
h**ea**d (j**éd**)

• **REGLA N° 23:**
"ea" en estas palabras se pronuncia [ei]

Ejemplos:

br**ea**k (bréik)
gr**ea**t (gréit)

• **REGLA N° 24:**
"ee" se pronuncia [i:]

Ejemplos:

kn**ee**(ni:)
agr**ee** (egrí:)
fr**ee** (frí:)
n**ee**d (ni:**d**)
w**ee**k (wi:k)
f**ee**l (fi:l)

• **REGLA N° 25:**
"ei" se pronuncia generalmente [i:]

Ejemplos:

rec**ei**ve (risí:v)
either (í:de:r)

• REGLA N° 26:
"e" en palabras de origen francés se pronuncia [ei]

Ejemplos:

ball**et** (bæléi)
buff**et** (beféi)
gourm**et** (gurméi)

• REGLA N° 27:
"e" delante de "w" se pronuncia generalmente [u:], aunque también puedes escuchar en menor medida [yu:]

Ejemplos:

n**e**w (nu:) o (nyú:)
n**e**ws (nu:z) o (nyú:z)
kn**e**w: (nu:) o (nyú:)

• REGLA N° 28:
"e" delante de "w" en esta palabra se pronuncia siempre [yu:]

Ejemplos:

few (fyú:)

Palabras escritas con "i" :

• REGLA N° 29:
" i " seguida de una consonante, se pronuncia [i]

Ejemplos:

it (it)
into (íntu:)
b**i**g (big)
g**i**ve (giv)

• REGLA N° 30:
"i" en una sílaba que finaliza con "e" silenciosa, se pronuncia [ai]

Ejemplos:

ice (áis)
n**ine** (náin)
wh**ile** (wáil)
m**ine** (máin)

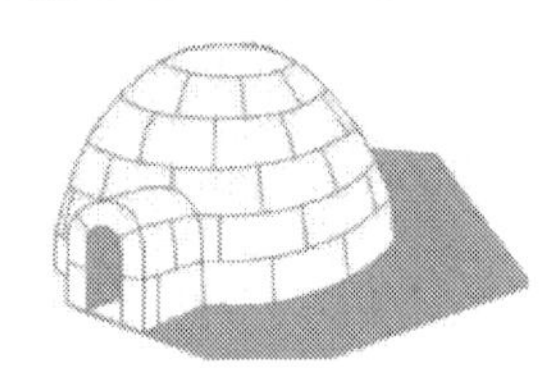

• REGLA N° 31:
"i" en una sílaba no acentuada, se pronuncia [e]

Ejemplos:

cous**i**n (k**á**sen)
cap**i**tal (kæperel)
hol**i**day (já:l**id**ei)

• REGLA N° 32:
"i" seguida de "gh", "ld" o "nd", se pronuncia [ai]

Ejemplos:

fl**igh**t (fláit)
n**igh**t (náit)
f**ind** (fáin**d**)
ch**ild** (cháil**d**)

• REGLA N° 33:
"i" seguida de "r" en una sílaba acentuada, se pronuncia [**e:**]

Ejemplos:

f**i**rst (f**e:**rst)
g**i**rl (g**e:**rl)
th**i**rd (**ze:**rd)

• REGLA N° 34:
"ie" en palabras de una sílaba, se pronuncia [ai]

Ejemplos:

tie (tái)
cr**ie**s (kráí**z**)
p**ie** (pái)

• REGLA N° 35:
"ie" en palabras que terminan con "e" silenciosa, se pronuncian generalmente [i:]

Ejemplos:

n**ie**ce (ni:s)
p**ie**ce (pi:s)

• REGLA N° 36:
"ie" en esta palabra se pronuncia [**e**]

Ejemplos:

fr**ie**nd (fr**é**nd)

• REGLA N° 37:
"ie" en esta palabra se pronuncia [ai]

Ejemplos:

d**ie**t (**d**áiet)

Palabras escritas con "o"

• REGLA N° 38:
"o" en sílabas acentuadas, generalmente se pronuncia [**a**]

Ejemplos:

s**o**me (s**á**m)
other (**á**de:r)
onion (**á**nyon)
l**o**ve (l**a**v)
M**o**nday (m**á**n**d**ei)

• REGLA N° 39:
"o" en una sílaba no acentuada se pronuncia **[e]**

Ejemplos:

lem**o**n (l**é**men)
less**o**n (l**é**sen)
c**o**ntain (kentéin)

• REGLA N° 40:
"o" seguida de **"b"**, **"d"**, **"g"**, **"p"**, **"t"** **o** **"ck"** se pronuncia [a:]

Ejemplos:

B**o**b (ba:b)
r**o**d (ra:**d**)
l**o**g (la:g)
st**o**p (sta:p)
l**o**t (la:t)
cl**o**ck (kla:k)

• REGLA N° 41:
"o" en una sílaba que termina en "e" silenciosa, se pronuncia [ou]

Ejemplos:

n**o**s**e** (nóuz)
ph**o**n**e** (fóun)
h**o**m**e** (jóum)

• REGLA N° 42:
"o" al final de algunas palabras de una sílaba, se pronuncia [u:]

Ejemplos:

d**o** (**d**u:)
t**o** (tu:)
wh**o** (ju:)

• REGLA N° 43:
"o" al final de algunas palabras, se pronuncia [ou]

Ejemplos:

n**o** (nóu)
s**o** (sóu)
g**o** (góu)
ag**o** (egóu)
hell**o** (jelóu)

• REGLA N° 44:
"o" seguida de "ld" se pronuncia [ou]

Ejemplos:

old (óuld)
s**old** (sóuld)
c**old** (kóuld)

• REGLA N° 45:
"o" seguida de "ff", "ng" y "ss" se pronuncia [a:]

Ejemplos:

off (a:f)
l**ong** (la:ng)
acr**oss** (ekrá:s)

• REGLA N° 46:
"o"seguida de "u" o "w", se pronuncia [au]

Ejemplos:

out (áut)
th**ou**sand (**z**áusend)
d**ow**n (**d**áun)
br**ow**n (bráun)
h**ow** (jáu)
n**ow** (náu)
eyebr**ow** (áibrau)

• Regla N° 47:
"o" seguida de "w" se pronuncia [ou]

Ejemplos:

sh**ow** (shóu)
sn**ow** (snóu)
kn**ow** (nóu)
wind**ow** (wín**d**ou)
yell**ow** (y**é**lou)

• Regla N° 48:
"oa" se pronuncia generalmente [ou]

Ejemplos:

b**oat** (bóut)
r**oa**d (róud)
c**oa**t (kóut)

• Regla N° 49:
"oi" y "oy" se pronuncian [oi]

Ejemplos:

oil (óil)
c**oi**n (kóin)
b**oy** (bói)
enj**oy** (in**sh**ói)

• Regla N° 50:
"oo" seguida de "d" o "k", se pronuncia [u]

Ejemplos:

g**ood** (gu**d**)
w**ood** (wu**d**)
c**ook** (cuk)
l**ook** (luk)

• Regla N° 51:
"oo" seguida de "l", "m" o "n" se pronuncia [u:]

Ejemplos:

p**ool** (pu:l)
r**oom** (ru:m)
s**oon** (su:n)

• REGLA N° 52:
"or" al final de la palabra se pronuncia [e:]

Ejemplos:

doct**or** (dá:kte:r)
col**or** (k**á**le:r)
mirr**or** (míre:r)

• REGLA N° 53:
"ough" se pronuncia [**a**]

Ejemplos:

en**oug** (in**áf**)
t**ough** (t**a**f)
r**ough** (r**a**f)

• REGLA N° 54:
"o" seguida de "e" silenciosa al final, se pronuncia generalmente [u:]

Ejemplos:

sh**oe** (shu:)
wh**ose** (ju:z)
l**ose** (lu:z)

Palabras escritas con "u"

• REGLA N° 55:
"u"en una sílaba acentuada, se pronuncia en muchos casos[u:]

Ejemplos:

J**u**ne (**sh**u:n)
r**u**ler (ru:le:r)
st**u**dent (stú:dent)

• REGLA N° 56:
"u" en una sílaba acentuada, se pronuncia también [**a**]

Ejemplos:

up (**a**p)
b**u**t (b**a**t)
uncle (**á**nkel)
us (**a**s)

• Regla N° 57:
"u" en una sílaba no acentuada, se pronuncia [e]

Ejemplos:

s**u**ppose (sepóuz)
circ**u**s (s**é**:rkes)
col**u**mn (ká:lem)

• Regla N° 58:
"u" se pronuncia en algunos casos [y]

Ejemplos:

union (yú:nien)
united (yu:náirid)
usual (yú:*sh*uel)
universal (yu:niv**e:**rsel)
reg**u**lar (régyu:le:r)

• Regla N° 59:
"u" depués de "t", "d", "n", o "s" se pronuncia generalmente [u:] y en menor medida [yu:]

Ejemplos:

T**u**esday (tú:z**d**ei) o (tyú:z**d**ei)
d**u**ty (**d**ú:ti) o (**d**yú:ti)
s**u**it (su:t) o (syú:t)

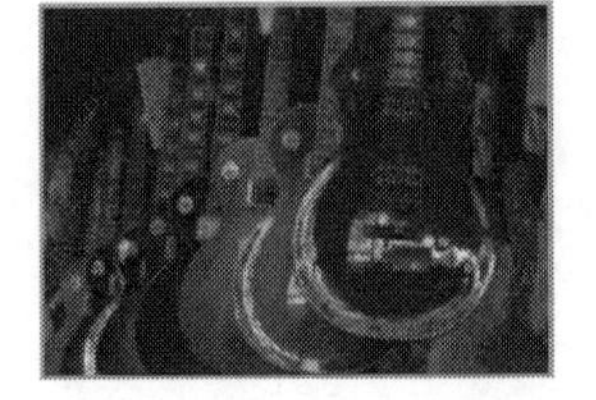

• Regla N° 60:
"ui" se pronuncia generalmente [i]

Ejemplos:

b**uil**d (bild)
q**ui**ck (kuík)
g**ui**tar (gitá:r)

• Regla N° 61:
"u" seguida de "r", se pronuncia [**e:**]

Ejemplos:

urgent (**é**:r**sh**ent)
Th**ur**sday (**zé:**rz**d**ei)
t**ur**n (t**e**:rn)

• Regla N° 62:
"u" seguida de "sh" generalmente se pronuncia [u]

Ejemplos:

b**ush** (bush)
p**ush** (push)
c**ush**ion (kúshen)

• Regla N° 63:
"u" en "**u**re" al final de la palabra se pronuncia [e:]

Ejemplos:

pict**ure** (píkche:r)
nat**ure** (néiche:r)
mixt**ure** (míksche:r)

Las consonantes:

• Regla N° 64:
"b" y "bb" se pronuncian [b]

Ejemplos:

be (bi:)
bank (bænk)
borrow (bá:rou)
ta**b**le (téibel)
lo**bb**y (lá:bi)
ca**b** (kæb)
tu**b** (tab)

• Regla N° 65:
"b" no se pronuncia cuando está en la misma sílaba que [m]

Ejemplos:

co**mb** (kóum)
bo**mb** (ba:m)
plu**mb**er (pláme:r)

• Regla N° 66:
"c" seguida de "e", "i" o "y" se pronuncia [s]

Ejemplos:

cent (sent)
pla**c**e (pléis)
so**c**iety (sesáieri)

• Regla N° 67:
"c" antes de "a", "o" y "u" se pronuncia generalmente [k]

Ejemplos:

call (ko:l)
come (k**a**m)
Customs (k**á**stems)

• Regla N° 68:
"c" antes de consonante siempre se pronuncia [k]

Ejemplos:

clean (kli:n)
a**cr**oss (ekrá:s)

• Regla N° 69:
"ch" se pronuncia generalmente [ch]

Ejemplos:

chair (ch**é**r)
children (chíl**d**ren)
cheerful (chíerfel)
Mar**ch** (ma:rch)
sandwi**ch** (sænwich)

• Regla N° 70:
"ch" se pronuncia en algunas palabras [k]

Ejemplos:

chorus (kó:res)
me**ch**anic (mekǽnik)
Christmas (krísmes)

• Regla N° 71:
"ch" en algunas palabrasse pronuncia [sh]

Ejemplos:

chef (sh**é**f)
Chicago (shikægou)
ma**ch**ine (meshí:n)

• Regla N° 72:
"c" en "**c**ial" al final de una palabra se pronuncia generalmente [sh]

Ejemplos:

so**cial** (sóushel)
spe**cial** (sp**é**shel)
offi**cial** (efíshel)

• Regla N° 73:
"c" en "**c**ian" al final de una palabra se pronuncia [sh]

Ejemplos:

physi**cian** (fizíshen)
techni**cian** (tekníshen)
politi**cian** (pa:letíshen)

• Regla N° 74:
"c" en "**c**ious" se pronuncia generalmente [sh]

Ejemplos:

deli**cious** (dilíshes)
pre**cious** (pr**é**shes)
spa**cious** (sp**é**ishes)

• Regla N° 75:
"d" o "dd" se pronuncia [d]

Ejemplos:

day (**d**éi)
desk (**d**ésk)
win**d**ow (wín**d**ou)
a**dd**ress (ǽ**d**res)
a**dd** (æ**d**)
col**d** (kóul**d**)

• Regla N° 76:
"dg" se pronuncia generalmente [sh]

Ejemplos:

ba**dg**e (bæ**sh**)
fu**dg**e (fa:**sh**)
we**dg**e (w**esh**)

• Regla N° 77:
"f" y "ff" se pronuncian [f]

Ejemplos:

fine (fáin)
foot (fu:t)
o**ff**er (á:fe:r)
o**ff**ice (á:fis)

• Regla N° 78:
"f" en esta palabra se pronuncia [v]

Ejemplos:

of (ev)

• Regla N° 79:
"g" se pronuncia generalmente [g]

Ejemplos:

go (góu)
get (g**e**t)
girl (g**e:**rl)
give (giv)
bi**gg**er (bíge:r)

• Regla N° 80:
"ge" se pronuncia generalmente [*sh*]

Ejemplos:

rou**ge** (ru:*sh*)
bei**ge** (b**é***sh*)

• Regla N° 81:
"g" antes de "e" silenciosa al final de una palabra, se pronuncia generalmente [**sh**]

Ejemplos:

a**ge** (éi**sh**)
villa**ge** (víli**sh**)

• Regla N° 82:
"g" delante de "e", "i" y "y" se pronuncia muchas veces [**sh**]

Ejemplos:

gym (**sh**im)
giraffe (**sh**irá:f)
dan**g**erous (déin**sh**eres)
ma**g**ic (mæ**sh**ik)

• Regla N° 83:
"gh" se pronuncia en muchas palabras [f]

Ejemplos:

cou**gh** (ka:f)
lau**gh** (la:f)
enou**gh** (in**á**f)

• Regla N° 84:
"h" se pronuncia generalmente [j]

Ejemplos:

he (ji:)
how (jáu)
here (jír)
hello (jelóu)
a**h**ead (eh**éd)**

• Regla N° 85:
"h" es siempre silenciosa en las siguientes palabras:

Ejemplos:

honest (á:nest)
heir (**é**ir)
honor (**á:**ner)
hour (áur)
honesty (á:nesti)

• Regla N° 86:
"h" es silenciosa cuando sigue a "g", "k" o "r" al principio de una palabra:

Ejemplos:

g**h**etto (gérou)
r**h**yme (ráim)
k**h**aki (ka:ki)

• REGLA N° 87:
"j" se pronuncia generalmente [**sh**]

Ejemplos:

January (**sh**ænyu:eri)
job (**sh**a:b)
John (**sh**a:n)
July (**sh**ulái)
en**j**oy (in**sh**ói)

• REGLA N° 88:
"k" se pronuncia [k]

Ejemplos:

kitchen (kíchen)
kilometer (kilá:merer)
li**k**e (láik)
wor**k** (we**:**rk)
spea**k** (spi:k)
blac**k** (blæk)

• REGLA N° 89:
"k" seguida de "n", generalmente no se pronuncia

Ejemplos:

know (nóu)
knee (ni:)
knife (náif)
knew (nu:)

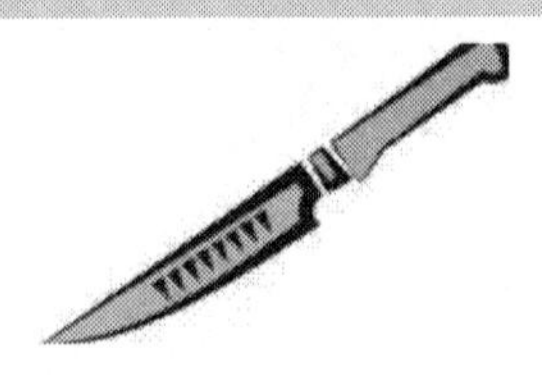

• REGLA N° 90:
"l" o "ll" al principio de la palabra o en el medio, se pronuncia [l]

Ejemplos:

last (læst)
long (la:ng)
live (liv)
little (lírel)

ESCUCHA EL AUDIO DEL CURSO
EN **WWW.MARIAGARCIA.US**

• **Regla N° 91:**
"l" o "ll" al final de una palabra, se pronuncia con un sonido más largo:

Ejemplos:

a**ll** (o:l)
te**ll** (**te**l)
ca**ll** (ko:l)
peop**le** (pí:pel)

• **Regla N° 92:**
"l" delante de "d" o "k" no se pronuncia en muchas palabras

Ejemplos:

wa**lk** (wo:k)
ta**l**k (to:k)
cou**l**d (ku**d**)
shou**l**d (shu**d**)
wou**l**d (wu**d**)

• **Regla N° 93:**
"m" y "mm" se pronuncian [m]

Ejemplos:

me (mi:)
month (m**anz**)
le**m**on (l**é**men)
su**mm**er (s**á**me:r)
I**mm**igration (imigréishen)
hi**m** (jim)
roo**m** (ru:m)

• **Regla N° 94:**
"n" y "nn" se pronuncian [n]

Ejemplos:

no (nóu)
new (nu:)
night (n**á**it)
mo**n**ey (m**á**ni)
te**nn**is (t**é**nis)

• REGLA N° 95:
"n" después de "m" en la misma sílaba, generalmente no se pronuncia

Ejemplos:

colu**mn** (ká:lem)
sole**mn** (sá:lem)
hy**mn** (jim)

• REGLA N° 96:
"ng" "o "ngue" al final de las palabras siempre se pronuncia [ng]

Ejemplos:

si**ng** (sing)
lo**ng** (la:ng)
ri**ng** (ring)
to**ngue** (ta:ng)

• REGLA N° 97:
"p" y "pp" se pronuncian siempre [p]

Ejemplos:

pen (p**e**n)
pay (péi)
pain (péin)
a**pp**le (ǽpel)
ha**pp**y (hæpi)
sto**p** (sta:p)
soa**p** (sóup)
li**p** (lip)

• REGLA N° 98:
"ph" se pronuncia generalmente [f]

Ejemplos:

phone (fóun)
ne**ph**ew (n**é**fiu:)
autogra**ph** (á:regræf)

• REGLA N° 99:
"p" seguida de "s" no se pronuncia

Ejemplos:

psychology (saiká:le**sh**i)
psychiatrist: (saikáietrist)
psychological (saikelá:**sh**ikel)

• **Regla N° 100:**
"qu" se pronuncia [k]

Ejemplos:

queen (kuí:n)
quickly (kuíkli)
quite (kuáit)
s**qu**are (sku**é:**r)

• **Regla N° 101:**
"r" y "rr" se pronuncian [r]

Ejemplos:

red (r**éd**)
rain (réin)
doo**r** (**d**o:r)
tomo**rr**ow (temó:rou)

• **Regla N° 102:**
"s", "se" y "ss" se pronuncian [s]
Recuerda que no debes pronunciar una "e" delante de la "s" cuando la palabra en inglés comienza con "s" + consonante.

Ejemplos:

slowly (slóuli)
still (sti:l)
sad (sæ**d**)
fa**s**t (fæst)
pen**c**il (pénsel)

bu**s** (b**as**)
ye**s** (yes)
hou**se** (háus)
mi**ss** (mis)
ki**ss** (kis)

• **Regla N° 103:**
"s" al final de las palabras se pronuncia generalmente como [z]

Ejemplos:

i**s** (iz)
ha**s** (jæz)
hi**s** (jiz)
wa**s** (w**a:**z)
eye**s** (áiz)
the**se** (di:z)

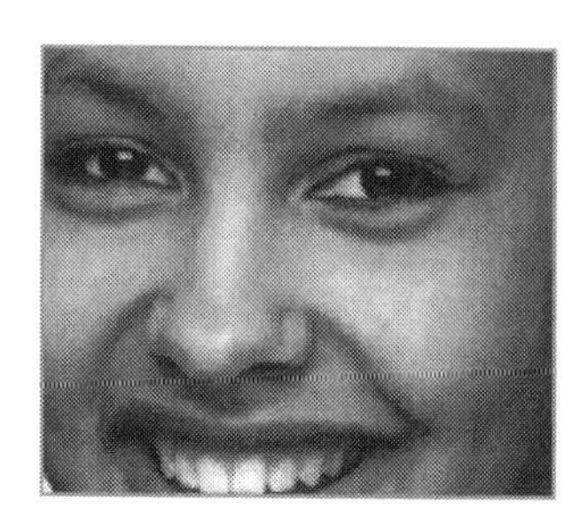

• REGLA N° 104:
"s" entre vocales en una sílaba acentuada se pronuncia [z]

Ejemplos:

reserve (rize:rv)
deserve (dize:rv)
visit (vízit)

• REGLA N° 105:
"sc" se pronuncia [s]

Ejemplos:

scent (s**e**nt)
scenery (sí:ne:ri)
scene (si:n)
scenario (sen**é**rio)

• REGLA N° 106:
"sh" se pronuncia [sh]

Ejemplos:

show (shóu)
short (sho:rt)
shirt (sh**e:**rt)
Spani**sh** (spænish)
ca**sh** (kæsh)

• REGLA N° 107:
"si" se pronuncia generalmente [*sh*]

Ejemplos:

vi**si**on (ví*sh*en)
deci**si**on (disíshen)
televi**si**on (t**é**leví*sh*en)

• REGLA N° 108:
"s" en "**ss**ion" al final de una palabra se pronuncia generalmente [sh]

Ejemplos:

profe**ssion** (pref**é**shen)
mi**ssion** (míshen)
depr**ession** (dipr**é**shen)

• REGLA N° 109:
"st" o "sc" en el medio de una palabra, no se pronuncia

Ejemplos:

castle (kǽsel)
fasten (fǽsen)
hassle (jǽsel)
muscle (m**á**sel)

• REGLA N° 110:
"s" en "**su**" se pronuncia generalmente [*sh*]

Ejemplos:

u**su**ally (yú:*sh*ueli)
plea**su**re (pl**é***sh*e:r)
ca**su**al (kæ*sh*uel)

• REGLA N° 111:
"su" se pronuncia muchas veces [sh]

Ejemplos:

sure (sho:r)
sugar (shúger)
in**su**rance (inshó:rens)

• REGLA N° 112:
"t" y "tt" se pronuncian generalmente [t]

Ejemplos:

ten (**t**en)
talk (to:k)
time (táim)
be**t**ween (bituí:n)
bu**t** (ba**t**)
wen**t** (wen**t**)
a**tt**end (et**é**nd)

• REGLA N° 113:
"t" en "inter" no se pronuncia en sílabas no acentuadas

Ejemplos:

in**t**erview (íne:rvyu:)
in**t**ernet (íne:rnet)
in**t**ersection (íne:rsekshen)

• Regla N° 114:
"th" al principio o en el medio de una palabra, se pronuncia generalmente [**z**]

Ejemplos:

thanks (**z**ænks)
thin (**z**in)
no**th**ing (n**á**zing)
bir**th**day (be:r**zd**ei)

• Regla N° 115:
"th" como últimas letras de una palabra se pronuncian siempre [**z**]

Ejemplos:

mou**th** (máu**z**)
too**th** (tu:**z**)
tee**th** (ti:**z**)

• Regla N° 116:
"th" al principio de una palabra de una sílaba, se pronuncia muchas veces [d]

Ejemplos:

they (déi)
that (dæt)
those (dóuz)
them (d**é**m)

• Regla N° 117:
cuando la palabra termina con "e" silenciosa, se pronuncia [d]

Ejemplos:

ba**th**e (béid)
brea**th**e (bri:d)

• Regla N° 118:
cuando la palabra termina en "ther" se pronuncia [d]

Ejemplos:

fa**th**er (f**á**:de:r)
mo**th**er (m**á**de:r)
bro**th**er (br**á**:de:r)

• **Regla N° 119:**
"tch" también se pronuncian [ch]

Ejemplos:

ki**tch**en (kíchen)
wa**tch** (wa:ch)
ma**tch** (mæch)

• **Regla N° 120:**
"th" seguido de "r" se prouncia [**z**]

Ejemplos:

three: (**z**ri:)
throat (**z**róut)
through (**z**ru:)

• **Regla N° 121:**
"t" en "**t**ion" se pronuncia generalmente [sh]

Ejemplos:

na**tion** (néishen)
Immigra**tion** (imigréishen)
rela**tion** (riléishen)
atten**tion** (et**é**nshen)

• **Regla N° 122:**
"t" en "tious" se pronuncia generalmente [sh]

Ejemplos:

infec**t**ious: (inf**é**kshes)
ficti**t**ious: (fiktíshes)
nutri**t**ious: (nu:tríshes)

• **Regla N° 123:**
"t" en "**t**ure" se pronuncia [ch]

Ejemplos:

pic**ture** (píkche:r)
cul**ture** (k**é**lche:r)
sculp**ture** (sk**á**lpche:r)

• Regla N° 124:
"v" se pronuncia generalmente [v]

Ejemplos:

very (v**é**ri)
visit (vízit)
o**v**er (**ó**uve:r)
se**v**enty (s**é**venti)
hea**v**y (j**é**vi)

• Regla N° 125:
"w" seguida de una vocal en la misma sílaba, siempre se pronuncia [w]

Ejemplos:

window (wín**d**ou)
weather (w**é**de:r)
we (wi:)
work (w**e:**rk)
a**w**ay (ewéi)
bet**w**een (bitwí:n)

• Regla N° 126:
"wh" se pronuncia generalmente [w]

Ejemplos:

when (w**e**n)
what (wa:t)
which (wich)
where (w**é:**r)

• Regla N° 127:
"w" al final de una palabra es siempre silenciosa

Ejemplos:

ho**w** (háu)
lo**w** (lóu)
kno**w** (nóu)

• Regla N° 128:
"w" en esta palabra también es silenciosa:

Ejemplos:

ans**w**er (ǽnse:r)

• REGLA N° 129:
"w" seguida de "r" también es silenciosa

Ejemplos:

wrong (ra:ng)
wrist (ríst)
write (ráit)
wrote (róut)

• REGLA N° 130:
"x" se pronuncia generalmente [ks]

Ejemplos:

si**x** (siks)
fi**x** (fiks)
e**x**ercise (**é**kse:rsaiz)
e**x**cellent (**é**kselent)

• REGLA N° 131:
"x" tiene una pronunciación poco frecuente como [z]

Ejemplos:

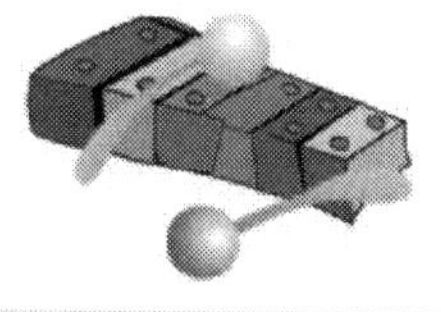

xylophone (záilefoun)
xerox (zíra:ks)

• REGLA N° 132:
"x" se pronuncia a veces como [gz]

Ejemplos:

e**x**ample (igzǽmpel)
e**x**am (igzǽm)
e**x**act (igzǽkt)

• REGLA N° 133:
"y" seguida de una vocal se pronuncia [y]

Ejemplos:

yes (y**e**s)
you (yu:)
year (yir)
yesterday (**y**é**s**te:**r**dei)
law**y**er (ló:ye:r)
back**y**ard (bǽkya:rd)

• REGLA N° 134:
"z" se pronuncia generalmente como [z]

Ejemplos:

zoo (zu:)
zero (zírou)
ea**s**y (i:zi)
do**z**en (dázen)

LAS 1000 PALABRAS Y FRASES CLAVE DEL INGLÉS AMERICANO

• **Regla N° 129:**
"w" seguida de "r" también es silenciosa

Ejemplos:

wrong (ra:ng)
wrist (ríst)
write (ráit)
wrote (róut)

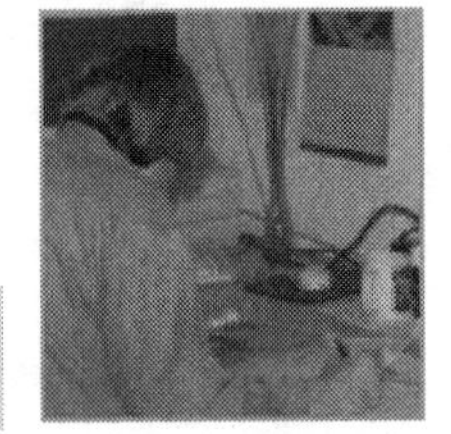

• **Regla N° 130:**
"x" se pronuncia generalmente [ks]

Ejemplos:

si**x** (siks)
fi**x** (fiks)
e**x**ercise (**é**kse:rsaiz)
e**x**cellent (**é**kselent)

• **Regla N° 131:**
"x" tiene una pronunciación poco frecuente como [z]

Ejemplos:

xylophone (záilefoun)
xerox (zíra:ks)

• **Regla N° 132:**
"x" se pronuncia a veces como [gz]

Ejemplos:

e**x**ample (igzǽmpel)
e**x**am (igzǽm)
e**x**act (igzǽkt)

• **Regla N° 133:**
"y" seguida de una vocal se pronuncia [y]

Ejemplos:

yes (y**e**s)
you (yu:)
year (yir)
yesterday (y**é**ste:r**d**ei)
law**y**er (ló:ye:r)
back**y**ard (bǽkya:rd)

AIRPORT: (é:rpo:rt) AEROPUERTO

Address: (ǽdres) dirección
Arrival: (eráivel) llegada
Arrive: (eráiv) llegar
Bag: (bæg) bolso
City: (síri) ciudad
Control: (kentróul) control
Country: (kántri) país
Customs: (kástems) aduana
Destination: (destinéishen) destino
Declare: (diklé:r) declarar
Fill in a form: (fil in e fo:rm) completar una forma
Flight: (fláit) vuelo
Immigration form: (imigréishen fo:rm) forma de inmigraciones
Immigration officer: (immigréishen á:fise:r) empleado de la aduana
Passport: (pǽspo:rt) pasaporte
Plane: (pléin) avión
Requirement: (rikuáirment) requisito
State: (stéit) estado
Stay: (stéi) estadía
Suitcase: (sú:tkeis) maleta
Travel: (trǽvel) viajar
Trip: (trip) viaje
Welcome: (wélcam) bienvenido

GREETINGS: (gri:tings) Saludos

Good afternoon: (gud ǽfte:rnu:n) buenas tardes
Goodbye: (gud bái) adiós
Good evening: (gud í:vning) buenas tardes
Good morning: (gud mó:rning) buenos días
Good night: (gud náit) buenas noches
Hello: (jelóu) hola
Hello there: (jelóu de:r) hola
Hi!: (jái) ¡Hola!
How are things?: (jáu a:r zings) ¿cómo van las cosas?
How are you?: (jáu a:r yu:) ¿cómo está Ud? ¿cómo estas tú?
How are you doing?: (jáu a:r yu: dú:ing) ¿cómo está Ud? ¿cómo estas tú?
How do you do?: (jáu du: yu: du:) ¿cómo está Ud? ¿cómo estas tú?
How is it going?: (jáu iz it góuing) ¿cómo va todo?
I´m fine: (áim fáin) estoy bien
I´m O.K, and you?: (áim ou kéi, end yu: ?) estoy bien, y tú/Ud ?
I´m very well: (áim véri wel) estoy muy bien
This is: (dis iz) Este/a es ... (presentaciones)
Nice to meet you: (náis te mi:t yu:) encantado de conocerte/lo/la
Nice to meet you too: (náis te mi:t yu: tu:) encantado de conocerte/lo/la también
Pleased to meet you: (pli:zd te mi:t yu:) encantado de conocerte/lo/la
See you later: (si: yu: léire:r) te veo más tarde
Bye: (bái) adiós

COUNTRIES AND NATIONALITIES: (kántriz ænd næshenǽliti:z) Países y nacionalidades

American: (emériken) norteamericano/a
Brazil: (brezíl) Brasil
Brazilian: (brezílyen) brasileño/a
Canada: (knede) Canadá
Canadian: (kenéidyen) canadiense
Colombia: (kela:mbie) Colombia

Colombian: (kela:mbien) colombiano/a
China: (cháine) China
Chinese: (chaini:z) chino/a
England: (ínglend) Inglaterra
English: (ínglish) inglés/a
Germany: (**shé:**rmeni) Alemania
German: (**shé:**rmen) alemán/a
Italy: (íteli) Italia
Italian: (itælyen) italiano/a
Japan: (**sh**epæn) Japón
Japanese: (**sh**æpeni:z) japonés/a
Mexico: (**mé**ksikou) México
Mexican: (**mé**ksiken) mexicano/a
Puerto Rico: (pue:rou rí:kou) Puerto Rico
Puerto Rican: (pue:ro rí:ken) puertorriqueño/a
Spain: (spéin) España
Spanish: (spǽnish) español/a
United States of America: (yu:náirid stéits ev emérike) Estados Unidos de América
Venezuela: (venezuéile) Venezuela
Venezuelan: (venezuéilen) venezolano/a

THE FAMILY: (de fæmili) La familia

Aunt: (a:nt) tía
Brother: (br**á**de:r) hermano
Cousin: (k**áz**en) primo/a
Daughter: (dó:re:r) hija
Father: (fá:de:r) padre
Grandfather: (grændfá:**d**e:r) abuelo
Grandmother: (grændm**áde:**r) abuela
Grandparents: (grændp**é**rents) abuelos
Husband: (j**á**zbend) esposo
Mother: (m**áde:**r) madre
Nephew: (n**éf**yu:) sobrino
Niece: (ni:s) sobrina
Parents: (pǽrents) padres (padre y madre)
Sister: (síste:r) hermana
Son: (sa:n) hijo
Uncle: (**á**nkel) tío
Wife: (w**á**if) esposa

SPORTS AND FREE TIME: (spo.rts end frí: táim) Deportes y tiempo libre

Basketball: (bǽsketbo:l) basquetbol
Bycicle: (báisikel) bicicleta
Exercise: (**é**kse:rsaiz) hacer ejercicio
Football: (fú:tbo:l) fútbol americano
Go cycling: (góu sáikling) andar en bicicleta
Go jogging: (góu **sh**a:ging) ir a correr
Go to the movies: (góu te de mú:vi:z) ir al cine
Go walking: (góu wo:king) ir a caminar
Gym: (**sh**im) gimnasia - gimnasio
Marathon: (mǽ**reza**:n) maratón
Play: (pléi) jugar
Relax: (rilǽks) descansar
Ride: (ráid) andar en bicicleta o a caballo
Surf the internet: (s**e:**rf de íne:rn**e**t) navegar por internet
Swim: (swim) nadar
Swimming: (swíming) natación
Swimming pool: (swíming pu:l) piscina
Tennis: (t**é**nis) tenis
Walk: (wo:k) caminar
Yoga: (yóuge) yoga

PHONE CONVERSATIONS: (fóun ka:nve:rséishens) Conversaciones telefónicas

As in: (æs in) como en (para dar referencia cuando se deletrea)
Call: (ko:l) llamar
Dial: (dáiel) discar
Directory: (dair**é**kteri) guía telefónica
Directory Assistance: (dair**é**kteri esístens) información
Extension: (ikst**é**nshen) número interno
Hold on, please: (jóuld a:n pli:z) no corte, por favor
I´d like to speak to...: (áid láik te spi:k te...) Quisiera hablar con...
I'll put you through: (áil put yu: zru:) lo comunicaré
I'll transfer your call: (áil trænsfe:r yo:r ko:l) transferiré su llamada
I'm calling about...: (áim kó:ling ebáut) llamo por...

Just a minute: (**shá**st e mínit) espere un minuto
Just a moment: (**shá**st e móument) espere un momento
Leave a message: (li:v e **mésish**) dejar un mensaje
Let me see...: (**l**et mi: si:) déjeme ver...
Phone: (fóun) teléfono/ llamar por teléfono
Phone number: (fóun **ná**mbe:r) número de teléfono
Ring: (ring) sonar
Speak: (spi:k) hablar
Speaking: (spi:king) Habla él/ella
Take a message: (téik e **mésish**) tomar un mensaje
Talk: (to:k) hablar
This is...: (dis iz..) soy/ habla ...
Who`s calling?: (ju:z ko:ling) ¿quién llama?

PARTS OF THE DAY: (pa:rts ev de **déi**) Partes del día

Morning: (mo:rning) mañana
Afternoon: (ǽfte:rnu:n) tarde
Evening: (í:vning) noche
Night: (náit) noche

DAYS OF THE WEEK: (**dé**iz ev de wi:k) Días de la semana

Monday: (**mánd**ei) lunes
Tuesday: (tyu:**zd**ei) martes
Wednesday: (**wénzd**ei) miércoles
Thursday: (**zé:rzd**ei) jueves
Friday: (frái**d**ei) viernes
Saturday: (sǽre:**rd**ei) sábado
Sunday: (sán**d**ei) domingo

MONTHS OF THE YEAR: (máns ev de yir) Meses del año

January: (**sh**ænyu:eri) enero
February: (f**é**bryu:eri) febrero
March: (ma:rch) marzo
April: (éipril) abril
May: (méi) mayo
June: (**sh**u:n) junio
July: (**sh**elái) julio
August: (o:gest) agosto
September: (sept**é**mbe:r) septiembre
October: (a:któube:r) octubre
November: (nouv**é**mber) noviembre
December: (**d**is**é**mbe:r) diciembre

THE TIME: (de táim) La hora

A.m.: (ei **e**m) antes de las 12 del mediodia
A quarter after..: (e kuó:re:r ǽfte:r) ...y cuarto
A quarter to ...: (e kuó:re:r tu:) menos cuarto
Half past: (ja:f pæst) y media
It's...: (its) es la /son las ...
O'clock: (e kla:k) en punto
P.m.: (pi: **e**m) después de las 12 del mediodía
What time is it?: (wa:t táim iz it) ¿qué hora es?

JOBS: (**sh**a:bs) Trabajos

Accountant: (ekáuntent) contador/a
Adertising company: (edve:rtáizing ká:mpeni) empresa de publicidad
Advertising agency: (edve:rtáizing éi**sh**ensi) agencia de publicidad
Agency: (éi**sh**ensi) agencia
Architect: (á:rkit**e**kt) arquitecto/a
Artist: (á:rtist) artista
Bell captain: (b**e**l kǽpten) jefe de porteros en un hotel
Car dealer: (ka:r dí:le:r) vendedor de autos
Chef: (**sh**ef) chef
Clerk: (kl**e:r**k) empleado
Company: (k**á**mpeni) empresa
Cook: (kuk) cocinero/a
Doctor: (dá:kt**e:r**) doctor/a
Door person: (do:r p**é:r**son) encargado de un edificio u hotel

Front desk clerk: (fra:nt desk kle:rk) recepcionista
Gardener: (gá:rdene:r) jardinero/a
Graphic designer: (græfik dizáine:r) diseñador/a gráfico/a
Job: (sha:b) trabajo
Lawyer: (lo:ye:r) abogado/a
Nurse: (ne:rs)enfermero/a
Offer: (á:fe:r) oferta
Office: (á:fis) oficina
Player: (pléier) jugador/a
Receptionist: (risépshenist) recepcionista
Salesclerk /salesperson: (séilskle:rk – séilspe:rson) vendedor/a en una tienda
Secretary: (sékreteri) secretaria
Security guard: (sekyú:riti ga:rd) guardia de seguridad
Taxi driver: (tæksi dráive:r) conductor/a de taxi
Teacher: (tí:che:r) maestro/a
Technician: (tekníshen) técnico/a
Tourist guide: (tu:rist gáid) guía de turismo
Travel agency: (trævel éishensi)
Waiter: (wéirer) mesero
Waitress: (wéitres) mesera

Means of transport (mi:ns ev trænspo:rt) Medios de transporte

Bicycle: (báisikel) bicicleta
Bus: (bas) autobús
Cab: (kæb) taxi
Car: (ka:r) automóvil
Plane: (pléin) avión
Taxi: (tæksi) taxi
Train: (tréin) tren

Stores: (sto:rs) Tiendas

Baker´s: (béiker´z) panadería
Drugstore: (drágsto:r) farmacia
Dry cleaner's: (drái klí:ne:rs) tintorería
Market: (má:rkit) mercado

Job interview: (sha:b ínne:rviu:) Entrevista laboral

Apply for a job: (eplái fo:r e sha:b)
Duty: (dyú:ti) tarea
Experience: (ikspíriens) experiencia
Last name: (læst néim) apellido
Name: (néim) nombre
Part time job: (pa:rt táim sha:b) trabajo de medio tiempo
Résumé: (résyu:mei) Currículum vitae
Skill: (skil) habilidad
Work: (we:rk) trabajar/trabajo

Formas de dirigirse a una persona:

Madam: (mædem) Señora
Ma´am: (ma:m) abreviatura de madam
Miss: (mis) Señorita
Ms: (mez) Sra, Srta.
Mr: (miste:r)
Mrs: (misiz)
Sir: (se:r) señor

The supermarket (de syu:pe:rmá:rket) El supermercado

Apple: (æpel) manzana
Avocado: (æveká:dou) palta
Bag: (bæg) bolsa
Banana: (benæne) plátano
Beef: (bi:f) carne vacuna
Bottle: (ba:rl)botella
Box: (ba:ks) caja
Bread: (bred) pan
Bunch: (bánch) racimo
Butter: (báre:r) manteca
Can: (kæn) lata
Carrot: (kæret) zanahoria
Carton: (a ka:rten) cartón
Cereal: (síriel) cereal
Cheese: (chi:z) queso
Chicken: (chíken) pollo
Corn: (ko:rn) maíz
Counter: (káunte:r) mostrador

Cream: (kri:m) crema
Cucumber: (kyú:kambe:r) pepino
Cup: (káp) taza
Dozen: (dázen) docena
Egg: (eg) huevo
Fish: (fish) pescado
Flour: (flaue:r) harina
Food: (fu:d) alimentos
Fruit: (fru:t) fruta
Grape: (gréip) uva
Ham: (jæm) jamón
Head: (jed) planta (de una verdura)
Jam: (shæm) mermelada
Jar: (sha:r) frasco
Lamb: (læmb) cordero
Lemon: (lémen) limón
Lettuce: (léres) lechuga
Loaf: (lóuf) pieza
Mango: (mængou) mango
Meat: (mi:t) Carne
Melon: (mélen) melón
Mushroom: (máshru:m) hongo
Onion: (a:nyon) cebolla
Orange: (o:rinsh) naranja
Package: (pækish) paquete
Pea: (pi:) arveja
Pear: (pér) pera
Pepper: (pépe:r) pimienta
Pepper: (péper) pimiento
Piece: (e pi:s ov) porción
Pineapple: (páinæpl) piña
Pork: (po:rk) cerdo
Potatoe: (potéirou) papa
Rice: (ráis) arroz
Salt: (so:lt) sal
Shampoo: (shæmpú:) shampoo
Shaving lotion: (shéiving lóushen) loción de afeitar
Shelf: (shélf) estante
Shopping list: (sha:ping list) lista de compras
Soap: (sóup) jabón
Strawberries: (stró:be:ri) fresas
Sugar: (shu:ge:r) azúcar
Toiletries: (tóiletri:z) artículos de tocador
Tomatoe: (teméirou) tomate
Toothpaste: (tu:z péist) pasta dental
Tube: (tyu:b) tubo
Vegetables: (véshetebels) verduras
Yogurht: (yo:ge:rt) yogur

The hotel: (de joutél) El hotel

Baggage: (bægish) equipaje
Bar: (ba:r) bar
Check in: (chek in) registrarse en un hotel
Check out: (chék áut) retirarse de un hotel
Coffee store: (ká:fi sto:r) cafetería
Conference room: (ká:nfe:rens ru:m) salón de conferencias
Corridor: (kó:ride:r) pasillo
Elevator: (éleveire:r) ascensores
Escalator: (éskeleire:r) escalera mecánica
Gift store: (gift sto:r) tienda de regalos
Guest: (gést) huésped
Hall: (jo:l) salón
Hotel administration: (joutél edministréishen) administración del hotel
Lobby: (la:bi) lobby
Registration card: (reshistréishen ka:rd) tarjeta para registrarse en el hotel
Reservation: (reze:rvéishen) reserva
Single room: (síngel ru:m) habitación simple

Work tools: (we:rk tu:lz) Herramientas de trabajo

Clip: (klip) clip
Computer: (ka:mpyú:re:r) computadora
Copy paper: (ka:pi péipe:r) papel para copias
Desk: (desk) escritorio
Envelope: (énveloup) sobre
Eraser: (iréize:r) goma de borrar
Fax machine: (fæks meshí:n) fax
Paper: (péiper) papel
Pen: (pen) bolígrafo
Pencil: (pénsil) lápiz
Photocopier: (fóutouka:pie:r) fotocopiadora
Printer: (príne:r) impresora
Scale: (skéil) balanza
Scanner: (skæne:r) escáner
Stapler: (stéipler) engrapadora
Stationery: (stéishene:ri) artículos de oficina

HOLIDAYS AND SPECIAL DAYS: (há:lideiz end spéshel déiz) Feriados y días especiales

Christmas: (krísmes) Navidad
Halloween: (jǽlewi:n) Noche de brujas
Independence Day: (indepéndens déi) Día de la Independencia
New Year: (nu: yir) Año Nuevo
Valentine´s Day: (vǽlentainz déi) Día de los enamorados

THE CAR: (de ka:r) El automóvil

Accelerator: (akséle:reire:r) acelerador
Battery: (bǽte:ri) batería
Boot: (bu:t) capot
Brake: (bréik) freno
Clutch: (klách) embrague
Engine: (énshin) motor
Fender: (fénde:r) paragolpes
Gear box: (gie:r ba:ks) caja de cambios
Headlight: (jédlait) luz
Make: (méik) marca
Mirror: (míre:r) espejo
Model: (ma:del) modelo
Parking brake: (pá:rking bréik) freno de manos
Radiator: (réidieire:r) radiador
Steering wheel: (stiring wi:l) volante
Tire: (táie:r) goma
Trunk: (tránk) maletero
Wheel: (wi:l) rueda
Windscreen: (wíndskri:n) parabrisas

THE TRAFFIC: (de trǽfik) El tránsito

Bus stop: (bas sta:p) parada de autobús
Crosswalk: (krá:swo:k) cruce peatonal
Driver license: (dráive:r láisens) licencia de conductor
Driver test: (dráiver test) examen para conducir
Eye test: (ái test) examen de la vista
Freeway: (frí:wei) autopista
Gas station: (gæs stéishen) gasolinera
Gasoline: (gǽselin) gasolina
Handbook: (hǽndbuk) manual
Highway: (jáiwei) autopista
Intersection: (íne:rsekshen) cruce de calles
Lane: (léin) carril de una autopista
Left: (left) izquierda
Limit: (límit) límite
Parking lot: (pá:rking lot) estacionamiento
Pedestrian: (pedéstrien) peatón
Right: (ráit) derecha
Speed: (spi:d) velocidad
Toll: (tóul) peaje
Traffic light: (trǽfik láit) semáforo
Traffic sign: (trǽfik sáin) señal de tránsito
Turn: (te:rn) doblar/giro
Turnpike: (té:rnpaik) autopista con peaje
Two way: (tu: wéi) doble sentido
U turn: (yu: te:rn) girar en U
Yield: (yi:ld) ceder el paso

CLOTHES: (klóudz) La ropa

A pair of.: (e pe:r ev) un par de ...
Bag: (bæg) bolsa
Blouse: (bláus) blusa
Boot: (bu: t) botas
Coat: (kóut) abrigo
Dress: (dres) vestido
Dressing room: (drésing ru:m) probador
Fit: (fit) quedar bien (una prenda)
Glasses: (glǽsiz) anteojos
Gloves: (gla:vz) guantes
Hat: (jæt) sombrero
Jacket: (shǽkit) chaqueta
Jeans: (shi:ns) pantalones de jean
Large: (la:rsh) grande
Match: (mæch) combinar
Medium: (mí:diu:m) mediano
On sale: (a:n séil) en oferta
Pants: (pænts) pantalones largos
Raincoat: (réinkout) impermeable
Scarf: (ska:rf) bufanda
Shirt: (she:rt) camisa
Shoes: (shu:z) zapatos
Shorts: (sho:rts) pantalones cortos
Size: (sáiz) talla
Skirt: (ske:rt) falda
Small: (smo:l) pequeño

Socks: (sa:ks) calcetines
Suit: (su:t) traje
Suit: (su:t) quedar bien (una prenda)
Sweater: (su**é**:re:r) suéter
T-shirt: (ti: sh**e:**rt) camiseta
Tennis shoes: (t**é**nis shu:z) zapatos tenis
Tie: (tái) corbata
Umbrella: (**a**mbr**é**le) paraguas

Colors: (ká:le:rs) Los colores

Black: (blæk) negro
Blue: (blu:) azul
Brown: (bráun) marròn
Gray: (gréi) gris
Green: (gri:n) verde
Lavender: (lævende:r) lavanda
Light blue: (láit blu:) celeste
Navy blue: (néivi blu:) azul marino
Orange: (a:rin**sh**) anaranjado
Pink: (pink) rosa
Red: (red) rojo, pelirrojo
White: (wáit) blanco
Yellow: (y**é**lou) amarillo

Post Office: (póust á:fis) Oficina de Correos

Deliver: (dilíve:r) enviar
Delivery: (dilíve:ri) envío a domicilio
Global airmail: (glóubel **é:**rmeil) vía aérea
Global economy: (glóubel iká:nemi) económico
Global express guaranteed: (glóubel ikspr**é**s gærenti:d) correo expreso certificado
Global express mail: (glóubal ikspr**é**s m**é**il) correo expreso
Letter: (l**é**re:r) carta
Mail: (méil) correo – enviar por correo
Package: (pæki**sh**) paquete
Postcard: (póustka:rd) tarjeta postal
Send: (s**é**n**d**) enviar
Wire: (wáir) girar dinero

Measurements: (méshe:rments) Las medidas

Centimeter: (s**é**ntimire:r) centímetro
Foot: (fu:t) pie
Gallon: (gælen) galón
Gram: (græm) gramo
Inch: (inch) pulgada
Kilogram: (kílegræm) kilogramo
Kilometer: (kílá:mi:re:r) kilómetro
Mile: (máil) milla
Millimeter: (mílimire:r) milímetro
Ounce: (áuns) onza
Pound: (páund) libra
Yard: (ya:rd) yarda

The bank (de bænk) El banco

Account: (ekáunt) cuenta
ATM: (o:temætik t**é**ler me**shí**:n) cajero automático
Bank statement: (bænk stéitment) resumen bancario
Banking system: (bænking sístem) sistema bancario
Bill: (bi:l) cuenta (de electricidad, teléfono, etc.)
Borrow: (bá:rau) pedir prestado
Cash: (kæsh) dinero en efectivo
Check: (chek) cheque
Checkbook: (ch**é**kbu:k) chequera
Credit card: (kr**éd**it ka:r**d**) tarjeta de crédito
Current account: (k**é:**rent ekáunt) cuenta corriente
Debit card: (**dé**bit ka:r**d**) tarjeta de débito
Deposit: (dipá:zit) depósito
Free of charge: (fri: ev cha:r**sh**) sin cargo
I.D.card – Identification card (ái **d**i: ka:r**d**) documento de identidad
Interest rate: (íntrest réit) tasa de interés
Lend: (lénd) prestar
Monthly payments: (m**á**n**z**li péiment) pagos mensuales
Mortgage: (mó:rgi**sh**) hipoteca
Overdraft: (óuverdra:ft) sobregiro
Personal loan: (p**é**rsonel lóun) préstamo personal
Save: (séiv) ahorrar

Savings account: (séivingz ekáunt) cuenta de ahorros
Transactions: (trænsǽkshen) transacciones
Transfer: (trǽnsfe:r) tranferir dinero
Withdraw: (widdrá:) retirar dinero

MONEY: (máni) El dinero

Bill: (bil) billete
Coin: (kóin) moneda
Dime: (dáim) diez centavos de dólar
Dollar: (dá:le:r) dólar
Nickel: (níkel) cinco centavos de dólar
Penny: (péni) un centavo de dólar
Quarter: (kuó:rer) veinticinco centavos de dólar
Spend: (spénd) gastar dinero
Waste: (wéist) malgastar dinero

APARTMENT AND FURNITURE: (apa:rtment end fe:rniche:r) El departamento y los muebles

Bathroom: (bá:zru:m) cuarto de baño
Bathtub: (bá:ztab) bañera
Bed: (bed) cama
Bedroom: (bédru:m) dormitorio
Carpet: (ká:rpet) alfombra
Ceiling: (sí:ling) techo
Chair: (cher) silla
Closet: (klóuset) ropero
Coffee table: (ká:fi téibel) mesa de centro
Couch: (káuch) sofá
Dinning room: (dáining ru:m) comedor
Door: (do:r) puerta
Floor: (flo:r) piso
Furniture: (fé:rniche:r) muebles
Kitchen: (kíchen) cocina
Lamp: (læmp) lámpara
Living room: (líving ru:m) sala de estar
Radio: (réidio) radio
Room: (ru:m) habitación
Rug: (rág) alfombra pequeña
Table: (téibel) mesa
Television: (télevi*sh*en) televisor
Wall: (wo:l) pared
Window: (wíndou) ventana

HOME APPLIANCES: (jóum apláiensi:z) Artefactos para el hogar

Cooker: (kúke:r) cocina
Microwave oven: (máikreweiv áven) horno a microondas
Oven: (áven) horno
Refrigerator: (rifríshe:reire:r) refrigerador
Vacuum cleaner: (vækyú:m klí:ne:r) aspiradora
Washing machine: (wá:shing meshín) lavarropas

THE WEATHER: (de wéde:r) El tiempo

Cloud: (kláud) nube
Cloudy: (kláudi) nublado
Cold: (kóuld) frío
Cool: (ku:l) fresco
Degrees Celsius: (digrí:z sélsies) grados centígrados
Degrees Fahrenheit: (digrí:z fǽrenjáit) grados Fahrenheit
Hot: (ja:t) caliente, caluroso
Rain: (réin) lluvia
Rainy: (réini) lluvioso
Snow: (snóu) nieve
Snowy: (snóui) nevoso
Sun: (sán) sol
Sunny: (sáni) soleado
Temperature: (témpriche:r) temperatura
Warm: (wa:rm) cálido
Weather forecast: (wéde:r fó:rkæst) pronóstico del tiempo
Wet: (wét) húmedo
What's the weather like?: (wa:ts de wéde:r láik) ¿cómo está el tiempo?
Wind: (wind) viento
Windy: (wíndi) ventoso

THE SEASONS: (de sí:zenz) Las estaciones

Fall: (fo:l) otoño
Spring: (spring) primavera
Summer: (s**á**me:r) verano
Winter: (wínte:r) invierno

THE DRUGSTORE: (de dr**á**gsto:r) La farmacia

Antibiotic: (æntibaiá:rik) antibiótico
Aspirin: (ǽspirin) aspirina
OTC: (óu ti: si:) (over the counter) (óuve:r de káunte:r) medicamentos de venta libre
Painkiller: (péinkile:r) calmante
Prescription: (preskrípshen) receta médica
Syrup: (sírep) jarabe

HEALTH PROBLEMS: (jélz pra:blemz) Problemas de salud

Backache: (bǽkeik) dolor de espalda
Cold: (kóuld) resfriado
Cough: (Ka:f) toser- tos
Fever: (fi:ve:r) fiebre
Headache: (**jéd**eik) dolor de cabeza
Hurt: (h**e:**rt) doler
Indigestion: (indi**shé**schen) indigestión
Pulse: (pa:ls) pulso
Sick: (sik) enfermo
Sneeze: (sni:z) estornudar
Sore throat: (so:r **z**róut) dolor de garganta
Sore: (so:r) dolorida/o, irritada/o
Stomachache: (stá:mekeik) dolor de estómago
Toothache: (tu**z** éik) dolor de muelas

PARTS OF THE BODY: (Pa:rts ev de bá:di) Partes del cuerpo

Ankle: (ǽnkel) tobillo
Arm: (a:rm) brazo
Calf: (ka:f) pantorrilla
Cheek: (chi:k) mejilla
Chest: (chest) pecho
Chin: (chin) mentón
Ear: (yir) oreja
Elbow: (**é**lbou) codo
Eye: (ái) ojo
Eyebrows: (áibrau) ceja
Eyelashes: (áilæshiz) pestañas
Feet: (fi:t) pies
Finger: (fínge:r) dedo
Foot: (fu:t) pie
Forehead: (fó:rjed) frente
Hair: (jéar) cabello
Hand: (jæn**d**) mano
Head: (**j**ed) cabeza
Knee: (ni:) rodilla
Leg: (l**e**g) pierna
Mouth: (máu**z**) boca
Neck: (n**e**k) cuello
Nose: (nóuz) nariz
Shoulder: (shóulde:r) hombro
Teeth: (ti:**z**) dientes
Toe: (tóu) dedo del pie
Tooth: (tu:z) diente
Waist: (wéist) cintura
Wrist: (rist) muñeca

AT THE RESTAURANT: (et de résterent) En el restaurante

Baked potatoes: (béikt petéirouz) papas al horno
Barbecue: (bá:rbikyu) barbacoa
Barbecue ribs: (bá:rbikyu: ribs) costillitas asadas
Beer: (bir) cerveza
Cheese cake: (chi:zkéik) torta de queso
Chocolate: (chá:klet) chocolate
Coffee: (ká:fi) café
Desserts: (diz**é:**rt) postres
Dish: (dish) plato preparado
Dressing: (dr**é**sing) aderezo
Drink: (drinks) bebida
French fries: (fr**e**nch petéirous) papas fritas
Fried chicken: (fráid chíken) pollo frito
Fried shrimps: (fráid shrimp) camarones fritos
Green salad: (gri:n sǽled) ensalada de verduras

Guacamole: (wakemóuli:) guacamole
Homemade pie: (jóummeid pái) pastel casero
Ice cream: (áis kri:m) helado
Juice: (**sh**u:s) jugo
Lasagne: (lazá:nya) lasagna
Main dish: (méin dish) plato principal
Mayonnaise: (méieneiz) mayonesa
Medium: (mí:diu:m) medianamente cocida
Menu: (m**é**nyu:) menú
Mint: (mint) menta
Oil: (óil) aceite
Onion ring: (**á:**nyon ring) anillos de cebolla
Pasta: (pæste) pasta
Peacan pie: (pí:ken pái) pastel de nueces
Pickles: (píkelz) pepinillos en vinagre
Pizza: (pí:tse) pizza
Rare: (rer) jugosa o poco asada
Seafood: (sí:fu:d) frutos del mar
Soda: (sóu**d**e) refresco
Soup of the day: (su:p ev de **déi**) sopa del día
Spaghetti: (speg**é**ri) spaghetti
Starter: (stá:rte:r) entrada
Steak: (stéik) carne asada
Tea: (ti:) té
Vanilla: (veníle) vainilla
Vinegar: (vínige:r) vinagre
Water: (wá:re:r) agua
Well done: (w**e**l d**a**n) bien cocida
Wine: (wáin) vino

VERBS: (ve:rbs) Verbos

Accept: (eks**é**pt) aceptar
Add: (æ**d**) agregar
Agree: (egrí:) estar de acuerdo
Am: (æm) soy/estoy
Answer (ǽnse:r) contestar
Are: (a:r) eres/es estás/está
Arrange: (er**é**in**sh**) organizar
Ask: (æsk) preguntar
Attend: (et**é**nd) concurrir
Bathe: (béid) bañarse
Be like: (bi: láik) parecerse
Be: (bi:) ser, estar
Been: (bi:n) estado
Begin: (bigín) comenzar
Breathe: (bri:d) respirar
Bring: (bring) traer
Buy: (bái) comprar
Change: (chéin**sh**) cambiar
Check: (ch**e**k) revisar
Clean up: (kli:n **a**p) limpiar
Clean: (kli:n) limpiar
Come back: (k**a**m bæk) regresar
Come in: (k**a**m in) entrar
Come over: (k**a**m ouve:r) ir a la casa de alguien
Come: (k**a**m) venir
Complete: (kemplí:t) completar
Contain: (kentéin) ccontener
Cook: (kuk) cocinar
Cost: (ka:st) costar
Cry: (krái) gritar, llorar
Dance: (dæns) bailar
Depend: (dip**é**nd) depender
Design: (dizáin) diseñar
Do: (du:) hacer
Drink: (**d**rink) beber
Drive: (**d**ráiv) conducir
Dust: (d**a**st) quitar el polvo
Eat out: (i:t áut) comer en un restaurante
Eat: (i:t) comer
Enjoy: (in**sh**ói) disfrutar
Enter: (**é**nte:r) ingresar
Explain: (ikspléin) explicar
Fasten: (fǽsen) ajustarse
Feel: (fi:l) sentir
Follow: (fá:lou) seguir
Forget: (feg**é**t) olvidar
Get back: (g**e**t bæk) regresar
Get: (g**e**t) conseguir, comprar, llegar
Give: (giv) dar
Go out: (góu áut) salir
Go: (góu) ir
Guess: (g**e**s) suponer
Hassle: (jǽsel) forcejear
Hate: (jéit) odiar
Have: (jæv) tener, poseer
Help: (j**e**lp) ayudar
Hope: (jóup) esperar
Improve: (imprú:v) mejorar
Introduce: (intredyiú:z) presentar
Invite: (inváit) invitar
Iron: (áiren) planchar
Is: (i:z) es/está

Kiss: (kis) besar
Know: (nóu) saber, conocer a alguien
Laugh: (læf) reír
Learn: (le:rn) aprender
Leave: (li:v) dejar o irse de un lugar
Like: (láik) gustar
Listen: (lísen) escuchar
Live: (liv) vivir
Look for: (luk fo:r) buscar
Look like: (luk láik) parecerse
Look: (luk) mirar
Lose: (lu:z) perder
Love: (lav) amar /encantar
Make: (méik) hacer, preparar
Match: (mæch) hacer coincidir, congeniar
Mean: (mi:n) significar
Meet: (mi:t) conocer o encontrarse con alguien
Move: (mu:v) mover- mudarse
Need: (ni:d) necesitar
Offer: (á:fe:r) ofrecer
Open: (óupen) abrir
Operate: (á:pereit) operar
Order: (á:rde:r) ordenar
Paint: (péint) pintar
Park: (pa:rk) estacionar
Pass: (pæs) aprobar
Pay: (péi) pagar
Pick up: (pik ap) recoger
Plan: (plæn) planificar
Prefer: (prifé:r) preferir
Prepare: (pripé:r) preparar
Promise: (prá:mis) prometer
Provide: (preváid) ofrecer
Push (push) empujar
Put: (put) poner
Read: (ri:d) leer
Receive: (risí:v) recibir
Recommend: (rekaménd) recomendar
Relax: (rilǽks) relajarse
Remember: (rimémbe:r) recordar
Rent: (rent) rentar
Repeat: (ripí:t) repetir
Run: (ran) correr
Say: (séi) decir
See: (si:) ver
Seem: (si:m) parecer
Sell: (sel) vender
Serve: (se:rv) servir
Shine: (sháin) brillar
Show: (shóu) mostrar
Sign: (sáin) firmar
Sing: (sing) cantar
Sit: (sit) sentarse
Sleep: (sli:p) dormir
Smoke: (smóuk) fumar
Sold: (sóuld) vendido
Sound: (sáund) sonar
Spell: (spel) deletrear
Start: (sta:rt) comenzar
Stay: (stéi) hospedarse
Study: (stádi) estudiar
Suffer: (sáfe:r) sufrir
Suggest: (seshést) sugerir
Suppose: (sepóuz) suponer
Surf: (se:rf) navegar
Sweep: (swi:p) barrer
Take: (téik) tomar, llevar, tardar
Teach: (ti:ch) enseñar
Tell: (tel) contar, decir, relatar
There are: (der a:r) hay (pl.)
There is: (der iz) hay (sing.)
Think: (zink) pensar
Tidy: (táidi) ordenar, poner en order
Try: (trái) tratar, intentar
Understand: (ande:rstǽnd) entender
Vacuum: (vækyú:m) pasar la aspiradora
Visit: (vízit) visitar
Wait: (wéit) esperar
Want: (wa:nt) querer
Was: fue/estuvo
Wash: (wa:sh) lavar
Watch: (wa:ch) mirar
Wear: (wer) usar ropa
Weigh: (wéi) pesar
Were: (wer) fueron/estuvieron
Worry: (wé:ri) preocuparse
Write: (ráit) escribir

NOUNS: (náuns) Sustantivos

Abilities: (abi:liti:z) habilidades
Admittance: (edmítens) admisión
Ads: (æds) avisos publicitarios
Advertising: (ǽdve:rtaizing) publicidad
Advice: (edváis) consejo

Air: (er) aire
Alcohol: (ǽlkeja:l) alcohol
Alphabet: (ǽlfebet) alfabeto
Application form: (aplikéishen fo:rm) forma de solicitud
At: (æt) arroba
Attention: (eténshen) atención
Autograph: (á:regræf) autógrafo
Avenue: (ǽvenu:) avenida
Backyard: (bǽkya:rd) patio trasero
Badge: (bæ**sh**) insignia
Ball: (bo:l) pelota
Ballet: (bæléi) balet
Bay: (béi) bahía
Belt: (belt) cinturón
Birthday: (**bé:rzd**ei) cumpleaños
Block: (bla:k) cuadra
Board: (bo:rd) cartelera
Boat: (bóut) bote
Bomb: (ba:m) bomba
Book: (buk) libro
Bowl: (bóul) tazón
Box: (ba:ks) caja
Boyfriend: (bóifrend) novio
Break: (bréik) descanso
Buddy: (bári) amigo
Buffet: (beféi) bufet
Bush: (bush) arbusto
Butterfly: (báre:rflai) mariposa
Capital: (kǽperel) capital
Castle: (kǽsel) castillo
Check: (chek) cuenta (en un restaurante)
Child: (cháild) niño/a
Children: (children) niños/as
Chorus: (kó:res) coro
Circus: (sé:rkes) circo
Coal: (kóul) carbón
Collar: (ká:le:r) cuello (de una prenda)
Column: (ká:lem) columna
Comb: (kóum) peine
Common: (ká:men) común
Concert: (ká:nse:rt) concierto
Condition: (kendíshen) condición
Conference: (ká:nferens) conferencia
Conversation: (ka:nve:rséishen) conversación
Corner: (kó:rne:r) esquina
Culture: (kélche:r) cultura
Cushion: (kúshen) almohadón
Customer: (kásteme:r) cliente
Date: (déit) fecha, cita
Decision: (disíshen) decisión
Depression: (dipréshen) depresión
Diet: (dáiet) dieta
Difference: (díferens) diferencia
Disco: (dískou) discoteca
Dot: (da:t) punto
Down payment: (dáun péiment) anticipo
Downtown: (dáuntaun) centro de la ciudad
Driver: (dráive:r) conductor/a
E-mail: (i: méil) correo electrónico
End: (end) final/fin
Exit: (éksit) salida
Floor: (flo:r) piso
Flowers: (fláue:rz) flores
Fork: (fo:rk) tenedor
Fridge: (fri**sh**) refrigerador
Fudge: (fa:**sh**) masa de chocolate
Fun: (fan) entretenimiento
Gas: (gæs) gasolina
Ghetto: (gérou) geto
Giraffe: (**sh**irá:f) jirafa
Girl: (ge:rl) muchacha
Girlfriend: (gé:rlfrend) novia
Glass: (glæs) vidrio /vaso
Gourmet: (gurméi) gurmet
Guitar: (gitá:r) guitarra
Guy: (gái) chicos/chicas, gente
Heir: (éir) heredero/a
Hill: (jil) colina
Holiday: (já:**lid**ei) feriado
Home: (jóum) hogar
Hometown: (jóumtáun) ciudad natal
Honesty: (á:nesti) honestidad
Honor: (**á:**ner) honor
Hour: (áur) hora
House: (jáuz) casa
Hymn: (jim) himno
Ice: (áis) hielo
Idea: (aidíe) idea
Information: (infe:rméishen) información
Installment: (instó:lment) cuota
Insurance: (inshó:rens) seguro
Invitation: (invitéishen) invitación
Jaw: (**sh**o:) mandíbula
Joke: (**sh**óuk) broma
Key: (ki:) llave
Khaki: (ka:ki) caqui

Knife: (náif) cuchillo
Language: (lǽnguish) lenguaje
Laughter: (lǽfte:r) risa
Law: (lo:) ley
Lawn: (lo:n) césped
Letter: (lé:rer) letra, carta
Line: (láin) fila
List: (list) lista
Log: (la:g) tronco
Love: (lav) amor, cariños (en una carta)
Luck: (lak) suerte
Machine: (meshí:n) máquina
Magazine: (mægezí:n) revista
Make: (méik) marca
Man: (mæn) hombre
Marketing: (má:rkiting) comercialización
Meaning: (mí:ning) significado
Mechanic: (mekǽnik) mecánico
Meeting: (mí:ting) reunión
Men: (men) hombres
Mess: (mes) lío, desorden
Message: (mésish) mensaje
Metal: (mérel) metal
Mice: (máis) ratones
Mission: (míshen) misión
Mixture: (míksche:r) mezcla
Moment: (móument) momento
Moon: (mu:n) luna
Mouse: (máus) ratón
Movie: (mu:vi) película
Movies: (mu:vi:z) cine
Muscle: (másel) músculo
Museum: (myu:zí:em) museo
Music: (myú:zik) música
Nation: (néishen) nación
Nature: (néiche:r) naturaleza
Necessary: (néseseri) necesario
News: (nu:z) o (nyu:z) noticias
Newspaper: (nyu:zpéiper) diario
Noise: (nóiz) ruido
Occasion: (ekéishen) ocasión
Office: (á:fis) oficina
Opportunity: (epe:rtú:neri) oportunidad
Option: (á:pshen) opción
Outing: (áuting) salida
Pair: (per) par
Park: (pa:rk) parque
Party: (pá:ri) fiesta
Password: (pǽswe:rd) contraseña
People: (pí:pel) gente
Person: (pé:rsen) persona
Photo: (fóuro) foto
Photograph: (fóuregræf) fotografía
Physician: (fizíshen) médico
Piano: (piánou) piano
Picture: (píkche:r) foto, cuadro
Place: (pléis) lugar
Plan: (plæn) plano
Pleasure: (pléshe:r) placer
Plumber: (pláme:r) plomero
Point: (póint) punto
Politician (pa:letíshen) político
President: (prézident) presidente
Price: (práis) precio
Problem: (prá:blem) problema
Product: (pa:dekt) producto
Profession: (preféshen) profesión
Protection: (pretékshen) protección
Psychiatrist: (saikáietrist) psiquiatra
Psychology: (saiká:leshi) psicología
Queen: (kuí:n) reina
Question: (kuéschen) pregunta
Radio: (réidiou) radio
Regulation: (regyu:léishen) reglas
Relation: (riléishen) relación
Resident: (rézident) residente
Rest: (rest) saldo
Rhyme: (ráim) rima
River: (ríve:r) río
Road: (róud) camino
Rod: (ra:d) vara
Rouge: (ru:*sh*) maquillaje para el rostro, lápiz labial
Sandwich: (sǽnwich) sándwich
Scenario: (senério) panorama
Scene: (si:n) escena
Scenery: (sí:ne:ri) paisaje
Scent: (sent) aroma
School: (sku:l) escuela
Sculpture: (skálpche:r) escultura
Sea: (si:) mar
Seat: (si:t) asiento
Sector: (séktor) sector
Sense: (séns) sentido
Service: (sé:rvis) servicios
Shelf: (shelf) estante
Shopping: (sha:ping) compras
Show: (shóu) espectáculo

Sky: (skái) cielo
Society: (sesáieri) sociedad
Space: (spéis) espacio
Station: (stéishen) estación
Street: (stri:t) calle
Student: (stú:dent) estudiante
Subject: (s**á**b**she**kt) asunto
Surprise: (se:rpráiz): sorpresa
Tax: (tæks) impuesto
Test drive: (t**e**st dr**á**iv) vuelta de prueba
Theater: (**z**íere:r) teatro
Thing: (**z**ing) cosa
Time: (táim) tiempo
Times: (táimz) veces
Tourism: (tú:rizem) turismo
Tub: (t**a**b) bañera
Union: (yú:nien) sindicato
University: (yu:nive:rsiri) universidad
Vacation: (veikéishen) vacación
View: (viú:) vista
Village: (víli**sh**) villa
Vision: (ví*sh*en) visión
Voice: (vóis) voz
Way: (wéi) camino, manera
Wedge: (we**sh**) cuña
Week: (wi:k) semana
Weekend: (wí:ken**d**) fin de semana
Weight: (wéit) peso
Woman: (wúmen) mujer
Women: (wímin) mujeres
Wood: (wud) madera
World: (w**e:**r**ld**) mundo
Xerox: (zíra:ks) fotocopiar
Xylophone: (záilefoun) xilofono
Year: (yir) año
Zoo: (zu:) zoológico

Adjectives: (æ**sh**etivz) Adjetivos

Able: (éibel) capaz
Absent-minded: (æbsent-máindid) distraído/a
Angry: (ǽngri) enojado
Awful: (o:fel) feo/a, horrible
Bad: (bæd) malo
Beautiful: (biú:rifel) hermoso/a lindo/a
Beige: (b**é**s*h*) beige
Better: (b**é**re:r) mejor
Big: (big) grande
Blind: (bláin**d**) ciego/a
Boring: (bó:ring) aburrido/a
Busy: (bízi) ocupado/a
Cheerful: (chí:rfel) alegre
Comfortable: (k**á**mfe:rte:rbel) cómodo/a
Cool: (ku:l) muy bueno/a
Creative: (kriéiriv) creativo/a
Curly: (k**é**:rli) enrulado/a
Dangerous: (**dé**in**sh**eres) peligroso/a
Dark: (**d**a:rk) oscuro/a
Delicious: (**d**ilíshes) delicioso/a
Difficult: (**d**ífikelt) difícil
Dirty: (**dé:**ri) sucio/a
Double: (**dá**bel) doble
Early: (**é:**rli) temprano/a
Easy: (í:zi) fácil
Economical: (ikená:mikel) económico/a
Efficient: (efíshent) eficiente
Excellent: (**é**kselent) excelente
Expensive: (iksp**é**nsiv) caro/a
Fair: (f**e**:r) rubio/a
Far: (fa:r) lejos
Final: (fáinel) final
Fictitious: (fiktíshes) ficticio/a
Fine: (fáin) bien
Friendly: (fr**é**ndli) cordial
Funny: (f**á**ni) gracioso, divertido
Glad: (glæd) alegre
Good: (gud) bueno/a
Great: (gréit) fantástico/a
Happy: (jǽpi) feliz
Hard: (ja:r**d**) difícil
Hardworking: (já:rdwe:rking) trabajador
Heavy: (jévi) pesado
Homesick: (jóumsik) nostalgioso/a
Honest: (á:nest) honesto/a
Important: (impó:rtent) importante
Incredible: (inkr**é**dibel) increíble
Infectious: (inf**é**kshes) infeccioso/a
Intelligent: (intéli**sh**ent) inteligente
Interesting: (íntresting) interesante
International: (intern**ǽ**shenel) internacional
Last: (læst) último/a
Late: (léit) tarde
Like: (láik) similar
Little: (lírel) pequeño/a
Lonely: (lóunli) solitario/a

Long: (la:ng) largo/a
Low: (lóu) bajo/a
Loyal: (ló:yel) lea
Lucky: (l**á**ki) afortunado/a
Magic: (mæ**sh**ik) mágico/a
Main: (méin) principal
Mixed: (míkst) mezclado/a
New: (nu:) nuevo/a
Nice: (náis) agradable
Nutritious: (nu:tríshes) nutritivo/a
O.K: (óu kéi) muy bien, de acuerdo
Official: (efíshel) oficial
Old: (óuld) viejo/a, antiguo/a
Overweigtht: (óuve:rweit) excedido en peso
Patient: (péishent) paciente
Perfect: (p**é**rfekt) perfecto/a
Popular: (pá:pyu:ler) popular
Powerful: (páue:rfel) poderoso/a
Precious: (pr**é**shes) preciado/a, querido/a
Pretty: (príri) bonito/a
Psychological: (saikelá:**sh**ikel) psicológico/a
Quick: (kuík) rápido/a
Ready: (r**é**di) listo/a
Rectangular: (rektǽngyiu:le:r) rectangular
Regular: (régyu:le:r) regular
Relaxing: (rilǽksing) relajado/a
Reliable: (riláiebel) confiable
Responsible: (rispá:nsibel) responsable
Right: (ráit) correcto/a
Rough: (r**á**f) áspero/a, desparejo/a
Sad: (sæd) triste
Safe: (séif) seguro/a, a salvo
Short: (sho:rt) de baja estatura, corto/a
Smelly: (sm**é**li) oloroso/a
Social: (sóushel) social
Solemn: (sá:lem) solemne
Spacious: (sp**é**ishes) espacioso/a
Special: (sp**é**shel) especial
Square: (sku**é:**r) cuadrado
Straight: (stréit) lacio - derecho
Sweet: (swi:t) dulce
Tall: (to:l) alto/a
Terrible: (t**é**ribel) espantoso/a
Thin: (**z**in) delgado/a
Tidy: (tái**d**i) ordenado/a
Tired: (táie:rd) cansado/a
Tiring: (táiring) cansador
Total: (tóurel) total
Tough: (taf) difícil, violento/a
True: (tru:) verdadero/a
Typical: (típikel) típico/a
United: (yu:náirid) unido/a unidos/as
Universal: (yu:nive**:**rsel) universal
Untidy: (**a**ntáidi) desordenado/a
Usual: (yú:*sh*uel) usual
Wavy: (wéivi) ondulado/a
Whole: (jóul) entero/a
Worried: (wé:rid) preocupado/a
Worse: (we:rs) peor
Wrong: (ra:ng) incorrecto/a, equivocado/a
Young: (ya:ng) joven

POSSESSIVE ADJECTIVES: (pez**é**siv æ**sh**etivz) Adjetivos posesivos

My: (mái) mi
Your: (yo:r) tu; su; de usted, de ustedes
His: (jis) su (de él)
Her: (je:r) su (de ella)
Its: (its) su (de animal o cosa)
Our: (aue:r) nuestro/a
Their: (de:r) su (de ellos/as)

AUXILIARIES: (a:gzí:lieri:z) Auxiliares

Can: (kæn) poder (para abilidad y pedidos informales)
Could: (kud) poder (para pedidos formales)
Did: (**did**) auxiliar para el pasado simple
Do: (**d**u:) auxiliar para el presente simple
Does: (**d**a**z**) auxiliar para el presente simple
Have to: (hæv te) auxiliar que indica necesidad
May: (méi) poder (para pedir permiso)
Must: (m**a**st) deber, estar obligado, deber de
Should: (shu**d**) deber (para dar consejos)
Will: (wil) auxiliar para el futuro
Would: (wud) auxiliar para ofrecer o invitar

ADVERBS: (ǽdve:rbs) Adverbios

A bit: (e bit) un poco

A few: (e fyu:) unos pocos
A little: (e lírel) un poco
A lot: (e la:t) mucho
Absolutely: (æbselú:tli) absolutamente
Across: (ekrá:s) a través, en frente de
Actually: (ǽkchueli) realmente
After: (ǽfte:r) después
Again: (eg**é**n) otra vez
Ago: (egóu) atrás
Also: (ó:lsou) también
Always: (ó:lweiz) siempre
Around: (eráund) alrededor
As: (æz) como (para comparar)
Enough: (in**á**f) suficiente
Ever: (**é**ve:r) alguna vez
Every day: (**é**vri **d**éi) todos los días
Exactly: (igzǽktli) exactamente
Finally: (fáineli) finalmente
First: (f**e:**rst) en primer lugar, primero
Generally: (**shé**nereli) generalmente
Here: (jir) aquí, acá
In fact: (in fækt) de hecho
Just: (**sha**st) recién
Late: (léit) tarde
Never: (n**é**ve:r) nunca
Next to: (n**é**kst tu:) al lado de
Next: (n**é**kst) próximo
No: (nóu) no
Not: (na:t) no
Often: (á:ften) a menudo
Once: (uáns) una vez
Only: (óunli) solamente
Outside: (autsáid) afuera
Over there: (óuve:r de:r) allá
Perfectly: (p**é:**rfektli) perfectamente
Pretty: (príri) muy
Quite: (kuáit) bastante
Rarely: (r**é**rli) raramente
Really: (rí:eli) realmente
Right here: (ráit jir) aquí mismo
Right now: (ráit náu) ahora mismo
Since: (sins) desde
Slowly: (slóuli) lentamente
So: (sóu) así, de esta manera
Sometimes: (s**á**mtaimz) a veces
Soon: (su:n) pronto
Still: (stil) aún, todavía
Then: (d**e**n) entonces
There: (der) allá, allí
Through: (**z**ru:) a través
Tomorrow: (temó:rou) mañana
Tonight: (tenáit) esta noche
Too: (tu:) también
Twice: (tuáis) dos veces
Usually: (yú:*sh*ueli) usualmente
Very: (v**é**ri) muy
Well: (w**e**l) bien
Yes: (y**e**s) sí
Yesterday: (yéste:r**d**ei) ayer
Yet: (y**e**t) aún, todavía

DETERMINERS: (dit**é**:rminers) Modificadores

All: (o:l) todos
Both: (bóuz) ambos/as
Less: (l**e**s) menos
Little: (lírel) pequeño
More: (mo:r) más
Other: (**á**de:r) otro

INDEFINITE PRONOUNS: (in**d**é**finit próunaunz) Los pronombres indefinidos

Anybody: (éniba:**d**i) alguien (interrogativo), nadie (negativo)
Anyone: (**é**niuan) alguien (interrogativo), nadie (negativo)
Anything: (**é**ni**z**ing) algo (interrogativo) nada (negativo)
Everything: (**é**vri**z**ing) todo
Nothing: (n**áz**ing) nada
One: (w**a**n) el de/la de
Somebody: (s**á**mbe**d**i) alguien (afirmativo)
Someone: (s**á**muen) alguien (afirmativo)
Something: (s**á**m**z**ing) algo

SUBJECT PRONOUNS: (s**á**b**sh**ekt próunaunz) Pronombres sujeto

I: (ai) yo
You: (yu:) tú; Ud.; Uds.
He: (ji:) él

She: (shi:) ella
It: (it) eso/a
We: (wi:) nosotros/as
They: (déi) ellos/as

OBJECT PRONOUNS: (**á:**bs**h**ekt próunaunz) Pronombres objeto

Me: (mi:) me, a mí
You: (yu:) te, a ti, a Ud., a Uds.
Him: (jim) lo, le (a él)
Her: (je:r) la, le, a ella
It: (it) lo/le (a ello)
Us: (**a**s) nos, a nosotros/as
Them: (d**é**m) les, las, los, a ellos/as

POSSESSIVE PRONOUNS: (pez**é**siv próunaunz) Pronombres posesivos

Mine: (máin) mío/a
Yours: (yo:rz) tuyo/a; suyo/a
His: (jiz) de él
Hers: (jerz) de ella
Ours: (á**ue**:rz) nuestros/as
Theirs: (de:rz) de ellos/as

DEMONSTRATIVE PRONOUNS: (dimá:nstrativ próunaunz) Pronombres demostrativos

This: (dis) esta/este/esto
That: (dæt) esa/ese/eso; aquella/ aquel/ aquello
These: (di:z) estas/estos
Those: (dóuz) esas/os, aquellas/os

ARTICLES: (á:rtikels) Los artículos

A: (e) un, una
An: (æn) un, unos
The: (de) el, la, las, los

LINKING WORDS: (linking w**e**:rdz) Conectores

And: (en**d**) y
But: (b**a**t) pero
Either ... or: (í:de:r ...o:r) o ... o
Neither ... nor: (ní:de:r no:r) ni ... ni
Or: (o:r) o
So: (sóu) por lo tanto,
While: (wáil) mientras

PREPOSICIONES

About: (ebáut) acerca de
Above: (eb**á**v) arriba de
Across: (ekrá:s) enfrente de / a lo ancho
At: (æt) a, en
Behind: (bijáind) detrás
Below: (bilóu) debajo de
Between: (bitu:ín) entre
By: (bái) en (medios de transporte)
Down: (dáun) abajo
During: (**d**ú:ring) durante
For: (fo:r) para
From: (fra:m) de, desde
In front of: (in fra:nt ev) enfrente de
In: (in) en
Into: (intu:) dentro
Near: (ni:r) cerca
Next to: (n**e**ks tu:) junto a
Of: (ev) de
On: (a:n) sobre
Out: (áut) afuera
Over: (óuve:r) por encima
Per: (pe:r) por
Through: (**z**ru:) a través
To: (tu:) a, para alguien, hacia
Under: (**á**nde:r)debajo
Up: (**a**p) arriba
With: (wid) con
Without: (widáut) sin

EXPRESSIONS: (ikspr**é**shens) Expresiones

All right: (o:l ráit) está bien
Certainly!: (s**é**:rtenli) ¡Seguro!

Cheer up!: (chir ap) ¡Alégrate!
Come in: (kam in) pase/a
Come on in: (kam a:n in) pase/a
Come this way: (kam dis wéi) venga/n por aquí
Could you repeat?: (kud yu : ripi :t) ¿podría repetir?
Don´t worry!: (dóunt wé:ri) ¡no te preocupes/se preocupe!
Excuse me: (ikskyu:z mi:) disculpe
For example: (fer igzǽmpel) por ejemplo
Good luck!: (gud lak) ¡buena suerte!
Great idea!: (gréit aidíe) ¡gran idea!
Great: (gréit) ¡Fantástico!
Help yourself!: (jelp yursélf)¡Sirvete algo!
Help yourselves!: (jelp ye:rselvz) ¡Sírvanse algo!
Here you are: (jir yu: a:r) aquí tiene/s
Holy smoke!: (jóuli smóuk) ¡Santo Cielo!
How about?: (jáu abáut) ¿Qué te parece...? ¿Qué tal si...?
How can I get to...?: (jáu ken ai get tu:) ¿Cómo puedo llegar a ...?
Hurry up!: (jári ap) Apúrate/Apúrese
I agree with you: (ái egri: wid yu:) estoy de acuerdo contigo/Ud.
I don´t know: (ái dóunt nóu) no lo sé
I don´t understand: (ái dóunt ande:rstænd) no entiendo
I´m cold: (áim kóuld) tengo frío
I´m coming!: (áim káming) ¡Ya voy!
I´ve got a cold: (áiv ga:t e kóuld) tengo un resfriado
I'm afraid...!: (áim efréid) me temo que...
I'm sorry: (áim sa:ri) lo siento
It depends: (it dipéndz) depende
It´s a deal!: (its e di:l) ¡Trato hecho!
Keep well!: (ki:p wel) ¡Que sigas bien!
Let me think: (let mi: zink) déjeme/déjame pensar
Let's...: (lets) (invitación o sugerencia para hacer algo)
Look after yourself: (luk ǽfte:r ye:rsélf) cuídate / cuídese
My name´s: (mái néimz) mi nombre es...
Of course!: (ev ko:rs) ¡Por supuesto!
Oh, dear!: (óu dir) ¡Oh, pobre! Para expresar pena por alguien
Please: (pli:z) por favor
Right now: (ráit náu) en este momento
...say... : (séi) digamos (cuando sugieres algo)
See you: (si: yu:) nos vemos...
Soaked to the bones: (sóukt te de bóunz) empapado hasta los huesos
Sounds good!: (sáundz gud) suena bien.
Sure: (sho:r) seguro
Take a seat: (téik e si:t) tome asiento
Take care!: (téik ke:r) ¡Cuídate!
Tell me about: (tel mi: abáut) cuéntame-cuénteme sobre...
Terrific!: (terífik) Fantástico
Thank you for...: (zænk yu: fo:r) gracias por ...
Thank you very much: (zænk yu: véri mach) muchísimas gracias
Thank you: (zænk yu:) gracias
Thanks a lot: (zænks e la:t) muchas gracias
Thanks: (zænks) gracias
That´s right: (dæts ráit) así es
That's settled!: (dæts sételd) ¡Está resuelto!
There you are: (der yu: a:r) ahí tienes
To be good at: (te bi: gud æt) ser bueno para/en
What a mess!: (wa:t e mes) ¡qué desorden!
What about...?: (wa:t ebáut) ¿qué te parece...? Para sugerir
What do you do?: (wa:t du: yu: du:) ¿a qué te dedicas?
What´s your job?: (wa:ts yo:r sha:b) ¿cuál es tu trabajo)
What´s your name: (wa:ts yo:r néim) ¿cuál es tu nombre?
What's the matter?: (wa:ts de máre:r) ¿qué sucede?
What's the meaning of...?: (wa:ts de mí:ning ev) ¿qué significa...?
What's wrong (with)?: (wa:ts ra:ng wid) ¿qué hay de malo?
Why don't ...?: (wái dóunt) ¿por qué no ...?
You never know: (yu: néve:r nóu) nunca se sabe
You should...: (yu: shud) usted debería...
You´re kidding: (yur kíding) estás bromeando
You´re right: (yu:r ráit) tienes razón
You'd better: (yu:d bére:r) sería mejor que...

You're welcome: (yú:r wélkem) no hay de qué

INTERROGATIVE WORDS: (inte:ra:getiv we:rdz) Palabras interrogativas

How about...?: (jáu ebáut...) ¿qué te parece? ¿qué tal si?
How far: (jáu fa:r) ¿a qué distancia?
How long: (jáu la:ng) ¿cuánto tiempo?
How many: (jáu méni) ¿cuántos/as?
How much: (jáu mach) ¿cuánto/a?
How often?: (jáu á:ften) ¿cuántas veces?
How old?: (jáu óuld) ¿cuántos años? ¿qué edad?
How strange!: (jáu stréinsh) ¡qué raro!
How: (jáu) ¿cómo?
What is/are...like? (wa:t iz/a:r ...láik) ¿cómo es...?
What kind of...? (wa:t káind ev) ¿qué clase de...?
What: (wa:t) ¿qué?
When: (wen) ¿cuándo?
Where: (wer) ¿dónde?
Which: (wích) ¿cuál ?
Who: (ju:) ¿quién?
Whose: (ju:z) ¿de quién?
Why: (wái) ¿por qué?

CARDINAL NUMBERS: (ká:rdinel námbe:rz) Números cardinales

Zero: (zírou) cero
One: (wan) uno
Two: (tu:) dos
Three: (zri:) tres
Four: (fo:r) cuatro
Five: (fáiv) cinco
Six: (síks) seis
Seven: (séven) siete
Eight: (éit) ocho
Nine: (náin) nueve
Ten: (ten) diez
Eleven: (iléven) once
Twelve: (twelv) doce
Thirteen: (ze:rtí:n) trece
Fourteen: (fo:rtí:n) catorce
Fifteen: (fiftí:n) quince
Sixteen: (sikstí:n) dieciséis
Seventeen: (seventí:n) diecisiete
Eighteen: (eití:n) dieciocho
Nineteen: (naintí:n) diecinueve
Twenty: (twéni) veinte
Thirty: (zé:ri) treinta
Forty: (fó:ri) cuarenta
Fifty: (fífti) cincuenta
Sixty: (síksti) sesenta
Seventy: (séventi) setenta
Eighty: (éiri) ochenta
Ninety: (náinri) noventa
Hundred: (jándred) cien
Thousand: (záunsend) mil
Million: (mílien) millón
Billion: (bílien) billón (mil millones)

ORDINAL NUMBERS: (ó:rdinel námbe:rz) Números ordinales

First: (f e:rst) primero
Second: (sékend) segundo
Third: (ze:rd) tercero
Fourth: (fo:rz) cuarto
Fifth: (fifz) quinto
Sixth: (síksz) sexto
Seventh: (sévenz) séptimo
Eighth: (éiz) octavo
Ninth: (náinz) noveno
Tenth: (tenz) décimo
Eleventh: (ilévenz) décimo primero
Twelveth: (twelz) décimo segundo
Twentieth: (twéntiez) vigésimo
Thirtieth: (zé:rtiez) trigésimo

Notas

TÍTULOS DE INGLÉS MARIA GARCÍA

INGLÉS DE UNA VEZ

APRENDE INGLÉS DEPRISA

1000 PALABRAS CLAVE

INGLÉS MÓVIL

100 CLASES PARA DOMINAR EL INGLÉS

~•~

EL DESAFÍO DEL INGLÉS

INGLÉS SMS

CIUDADANÍA AMERICANA

PRONUNCIACIÓN FÁCIL:
LAS 134 REGLAS DEL INGLÉS AMERICANO

INGLÉS PARA HACER AMIGOS

~•~

INGLÉS PARA REDES SOCIALES

INGLÉS EN LA ESCUELA

INGLÉS PARA PACIENTES

HABLA SIN ACENTO

INGLÉS DE NEGOCIOS

~•~

INGLÉS PARA VIAJAR

INGLÉS PARA EL AUTO

APRENDE INGLÉS CON LOS FAMOSOS

Made in the
USA
Monee, IL